CLINICAL PERFORMANCE EXAMINATION

PACIFIC CPX

III

VOLUME

부 록

[신체진찰 가이드 / 체크 리스트]

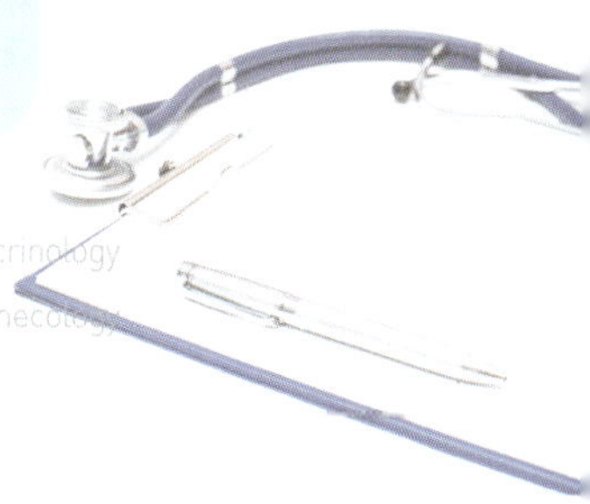

Cardiology Pulmonology Gastroenterology Nephrology Infection Endocrinology
Allergy Hematology Oncology Rheumatology Surgery Obstetrics Gynecology
Pediatrics Psychiatry Minor Preventive Medicine Medical Law

Pacific Book

머 / 리 / 말

의사국가고시 실기시험인 CPX는 단순히 의학지식만 습득하는 것을 넘어 실제 환자를 만났을 때 진료에 필요한 면담과 검진을 얼마나 잘 수행해내는지 평가하는 시험입니다. 따라서 CPX시험을 성공적으로 치기 위해서는 체계적으로 정리된 의학 지식뿐만 아니라 자연스럽게 면담을 진행할 수 있는 충분한 연습이 필요합니다.

많은 학생들이 CPX에 큰 부담을 갖고 있습니다. CPX 48개 주제가 결코 적지 않기 때문인 것도 있지만, 모의 환자를 마주 보고 있는 상황에서 능숙하게 의학 지식을 면담으로 정제해 내는 것이 쉽지 않기 때문일 것으로 생각됩니다. 또한 평소에 잘하던 학생도 시험장에서는 상당한 긴장 상태에 놓이게 되므로 시험에 대한 압박감은 그만큼 커지게 됩니다. 또한 최근에는 모의 환자들이 특정 질환에서 전형적으로 나타날 수 있는 증상만을 가지고 있는 경우가 줄어들었습니다. 대신 복합적으로 여러 가지 증상을 가지고 있는 경우가 점점 많아져서 이제는 다양한 질환의 가능성을 염두에 두고 면담을 진행해야 하는 상황에 이르렀습니다.

'퍼시픽 CPX 부록'은 실제 CPX 시험에 앞서 학생들이 시험에서 꼭 물어봐야 할 키워드들을 빠르게 리마인드 할 수 있도록 각 CPX 주제별로 중요하거나 잊기 쉬운 내용들을 메모장 형식으로 정리해 두고, 체크 리스트를 함께 수록해 둔 책입니다. 실제 시험장에서는 CPX 상황 소개를 읽고 문제를 숙지할 시간 1분이 주어집니다. 이전 시험에서는 이 시간 동안 종이에 환자에게 질문할 항목을 미리 빠르게 적어두는 것이 가능했으나, **국가고시 시행 지침이 변경됨에 따라 상황 지침을 읽으면서 종이에 미리 메모를 하는 것이 불가능해졌습니다(시험실 내에 비치된 종이만 사용 가능)**. 따라서 실기시험을 연습할 때 예시 메모장의 형식을 활용하여 'LOST CoEx CF Asso' – '약과외사가여' 넘버링과 본인이 평소에 잘 놓쳤던 항목들을 빠르게 떠올려보는 연습을 하고 시험장에 입실하면 보다 수월하게 시험을 진행할 수 있을 것입니다.

CPX 주제별 총론이나 키워드 해석과 관련하여 자세한 내용은 '퍼시픽 CPX 총론'을 참고해 주시기 바랍니다.

이 책의 특징 및 장점

1. 시험 직전 대비에 최적화된 구성

시험 직전에 CPX 48개 주제를 대비하기 위하여 참고서 한 권을 전부 다 읽는 것은 시간도 오래 걸리고 효율이 떨어집니다. '퍼시픽 CPX 부록'은 시험 직전 48개 주제에 대해 한 페이지로 정리한 메모지와 체크 리스트를 제공하여 빠른 시간 내에 가볍게 모든 주제를 훑어볼 수 있도록 준비되었습니다. 특히, 국가고시 시행 지침이 변경됨에 따라 시험실 밖에서 미리 종이에 메모를 하는 것이 불가능해졌기 때문에, 시험 전에 미리 자신이 자주 잊어버리는 항목이 무엇인지 정리해두고 시험장에서 바로 떠올릴 수 있도록 공부할 필요가 있습니다. '퍼시픽 CPX 부록'에서는 시험의 큰 흐름인 '문진－신체진찰－환자교육'에서 각각 꼭 필요한 것들을 정리하도록 하여 약점을 보완하고 시험장에서 최선의 실력을 발휘할 수 있도록 도움을 드릴 것입니다.

2. 학생들이 자주 잊어버리는 항목을 모아 만든 예시

'퍼시픽 CPX 부록'의 메모지 파트는 크게 두 부분으로 나누어, 위에는 집필진이 실제 학생이 작성한 것처럼 만든 메모지 예시가 있고 아래에는 학생이 직접 본인이 자주 잊어버리는 항목을 정리해둘 수 있도록 빈 메모지가 있습니다. 메모지 예시는 실제로 많은 학생들이 자주 잊어버리는 항목 및 반드시 물어봐야 하는 항목을 정리하여 크게 'LOST CoEx CF Asso'－'약과외사가여'－'P/E'－'환자교육'의 4가지 카테고리로 나누어 정리해두었습니다. 이 예시는 직접 메모지를 작성할 때 길잡이가 되어주거나, 직접 정리를 하지 않아도 시험 직전대비에 활용할 수 있을 것입니다.

3. 실제 시험장에서도 활용 가능한 메모 양식

국가고시 시행 지침 변경으로 시험실에 입실하기 전 미리 메모를 하는 것은 불가능해졌지만, 시험실 내에서 메모를 하는 것은 가능합니다. 'LOST CoEx CF Asso'－'약과외사가여'－'P/E'－'환자교육'이라는 큰 흐름을 미리 적어두고 시험에 임하면 채점 항목에서 큰 비중을 차지하는 부분들을 빠뜨리는 불상사를 방지할 수 있습니다.

예를 들어 실제로 CPX 시험을 진행하다 보면 환자에게서 수많은 정보가 주어지기 때문에, 나중에 이 부분에 내해 교육을 해야겠다고 생각했음에도 막상 환자교육에 들어가면 잊어버리는 경우가 있습니다. 따라서 면담을 하며 환자의 음주, 흡연 습관 등 교육 시 언급해 주면 좋은 부분들은 '환자교육' 칸에 바로바로 기입해 두고, 나중에 해당 칸을 보면서 한 번에 교육을 진행하면 모든 내용을 빠짐없이 교육을 진행할 수 있을 것입니다.

4. 최종 점검을 위한 체크 리스트

'퍼시픽 CPX 부록' 및 '퍼시픽 CPX 증례집'에 수록된 체크 리스트는 실제 CPX 시험장에서 사용하는 채점 항목과 유사한 형식으로 되어있어 CPX 시험 연습을 할 때 감점의 위험이 있는 스스로의 약점을 직접 체크해보며 확인할 수 있습니다. 마지막까지 꼼꼼한 체크 리스트 점검으로 고득점을 획득하시기 바랍니다.

퍼시픽 학술국

CONTENTS

신체진찰 가이드

체크 리스트

CONTENTS

CONTENTS

CONTENTS

CHAPTER 9 정신 _185

CHAPTER 10 상담 _197

CLINICAL PERFORMANCE EXAMINATION

CPX

신체진찰 가이드

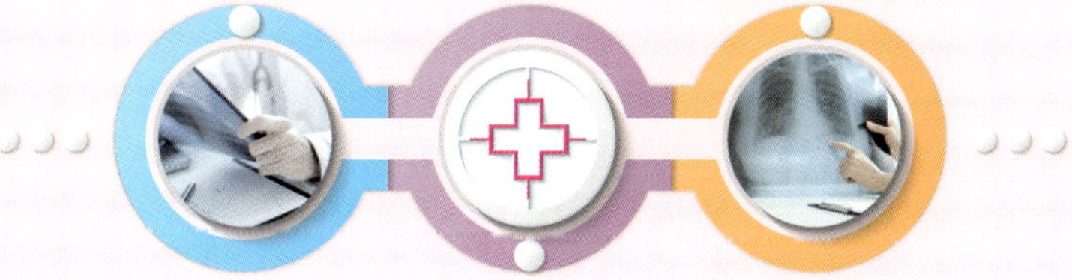

Cardiology Pulmonology Gastroenterology Nephrology Infection Endocrinology
Allergy Hematology Oncology Rheumatology Surgery Obstetrics Gynecology
Pediatrics Psychiatry Minor Preventive Medicine Medical Law

1 본격적인 Physical examination에 들어가기 앞서

1) 복장

국시원 CPX의 표준화환자 경험이 있는 어르신의 말씀에 따르면 밝은 색 상의를 입는 것이 표준화환자(standard patient, 이하 SP)로 하여금 심리적으로 편안한 느낌을 갖게 해준다고 합니다. 물론 합격에 당락을 미치지는 않지만 좋은 인상은 PPI(patient-physician interaction)를 쌓는 데 도움이 될 수 있으므로 흰색 계열의 상의를 입는 것을 추천합니다.

2) 첫 대면

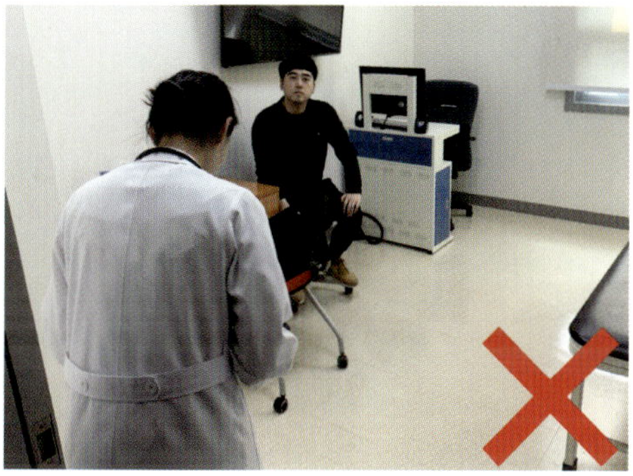

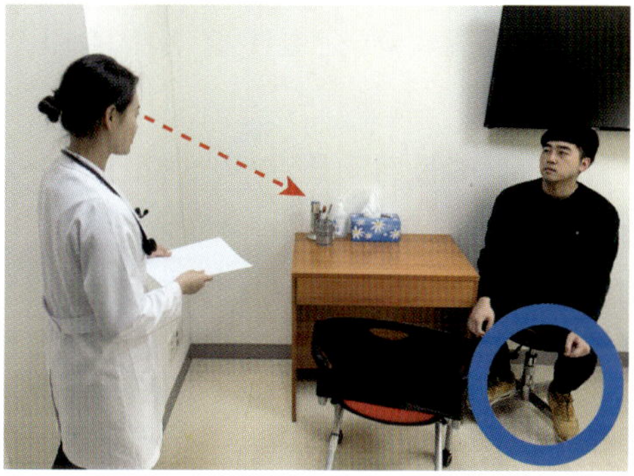

문을 열자마자 인사를 하면서 들어가면 시선 처리가 어색하고 앉아서 다시 인사해야 하는 경우가 많아 첫 분위기부터 어색해질 수 있습니다. 들어갈 때는 책상 위의 알코올을 보면서 들어가고, 의자에 앉자마자 손을 알코올로 소독한 다음에 정식으로 SP와 인사를 나눕니다.

3) 인사하는 법

인사에 많은 대사를 소모할 경우 자칫 귀중한 시간을 낭비할 수 있습니다. 다음 예시 정도의 인사만 해도 PPI를 쌓는 데 충분합니다.

(1) "안녕하세요, 저는 학생의사 ○○○입니다. 성함과 나이 좀 말씀해주세요."

Tip 정신, 상담(음주, 금연, 약물, 가정폭력, 성폭력 등) part에서는 SP가 스스로를 환자라고 생각하지 않기 때문에 "환자분 성함과 나이 좀 말씀해주세요."보다는 "성함과 나이 좀 말씀해주시겠어요?"하고 묻는 것이 좋습니다.

(2) "오시는 데 불편하진 않으셨어요?", "앉아계신 의자는 좀 편한가요?"

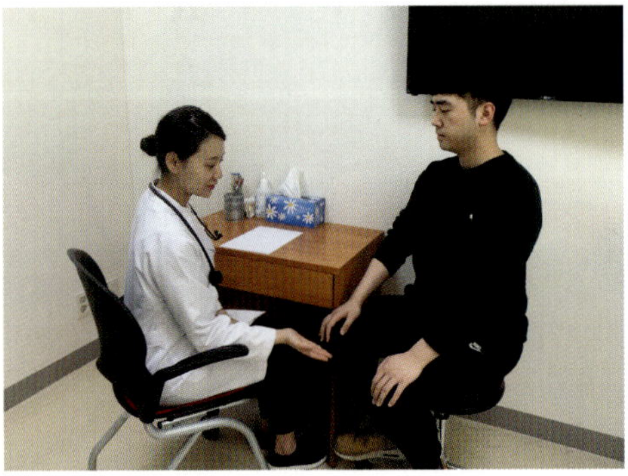

Tip 초반부터 일면식이 없는 사람과의 눈맞춤이 계속되면 서로 부담스러울 수 있습니다. 자연스럽게 의자로 시선을 돌려 어색한 분위기를 환기시킬 수 있습니다.

(3) "지금부터 12분 정도 문진하고 신체진찰을 하려고 하는데 시간은 괜찮으세요?", "중간에 불편한 점이 있으면 언제든지 말씀해주세요."(생략 가능)

2 General physical examination

문진의 Associated symptom의 General(발오감체피부야통)과 같은 개념으로 routine하게 수행합니다. 증례에 따라 선별적으로 시행하여 시간을 절약할 수 있습니다. 막상 시험장에서 어떤 신체진찰을 수행할지 생각이 나지 않을 경우 G의 신체진찰을 수행하며 기억을 떠올릴 시간을 벌 수도 있고, 다 하게 되더라도 시간에 큰 지장이 없는 P/Ex로 구성하였습니다(코(부비동) 제외). 위(머리)에서 아래(발)로 쑥 훑고 지나간다고 생각하면 떠올리기 쉽습니다. 눈 / 코 / 입 / 림프절 / 갑상샘 / 손 / 다리 순으로 진행합니다.

1) 의자 옮기기

실제 국시원 시험장에서 SP의 의자는 벽쪽에 딱 붙어 있으므로 그 상태에서는 신체진찰을 수행하기에 무리가 있습니다.

"앉아계신 의자를 이 쪽으로 잠깐 이동시켜주세요." or "잠깐 앞쪽으로 나와주시겠어요?"

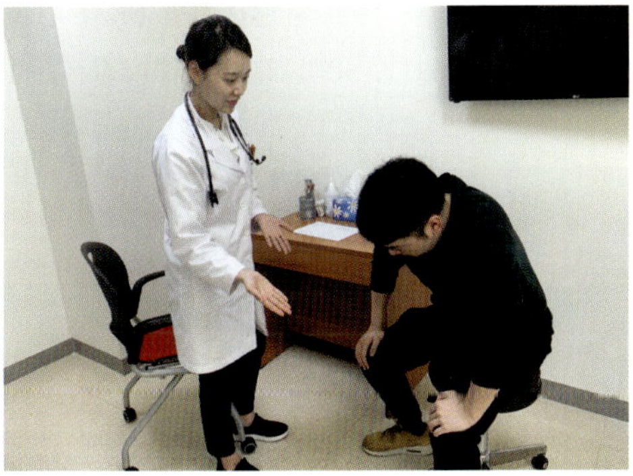

Tip 호흡기 part를 제외하고는 general은 침대에 걸터 앉아서 시행해도 됩니다.

2) 눈 진찰(결막과 공막황달 확인)

(1) 알코올 짜기 : 신체진찰의 시작과 끝은 알코올로 손을 소독하는 것입니다.

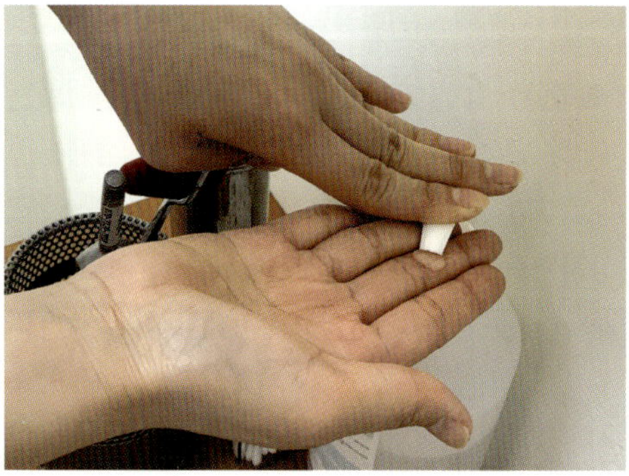

Tip 알코올을 많이 짤 경우 마르는 데 시간이 걸리고, 눈 진찰 도중 SP의 눈을 매우 따갑게 할 수 있으므로 콩알만큼만 짜서 대충 문지르는 척을 해야 합니다.

(2) "천장을 바라봐주세요, 조금 따가울 수 있어요." 조금 따가울 수 있다고 미리 말해주면 SP가 겁을 먹을 수 있지만 실제로는 콩알만큼만 짰기 때문에 따갑지 않습니다. SP의 기분이 좋아질 수 있습니다.

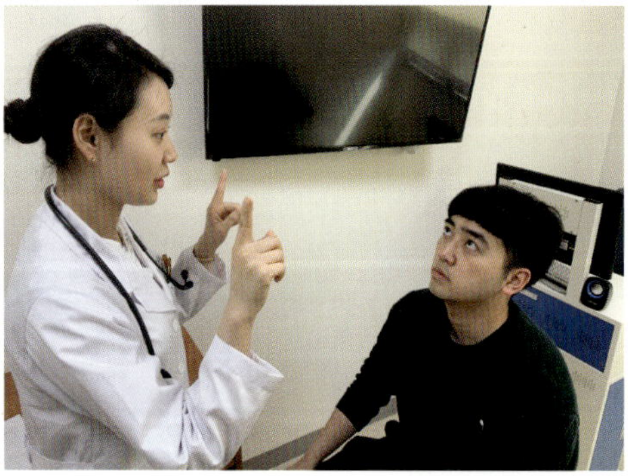

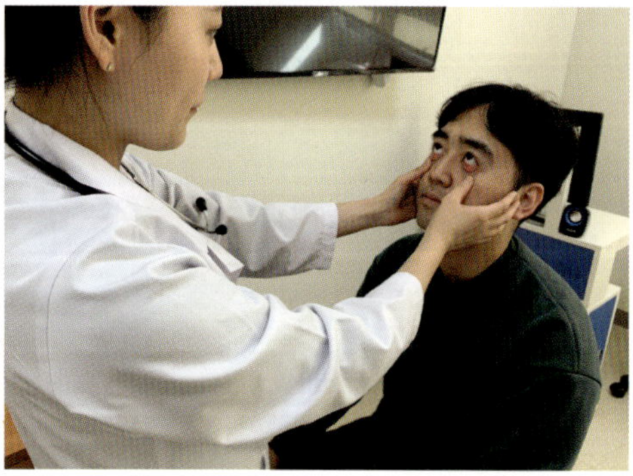

"빈혈이나 황달 소견은 보이지 않네요."

3) 코(부비동 촉진)

부비동 촉진은 호흡기 part의 기침, 콧물 / 코막힘에서만 시행하지만, 위에서 아래로 훑고 내려온다는 것에 대한 예시로 general에 넣었습니다.

"코 옆을 좀 눌러봐도 될까요? 제 손이 얼굴에 닿습니다."

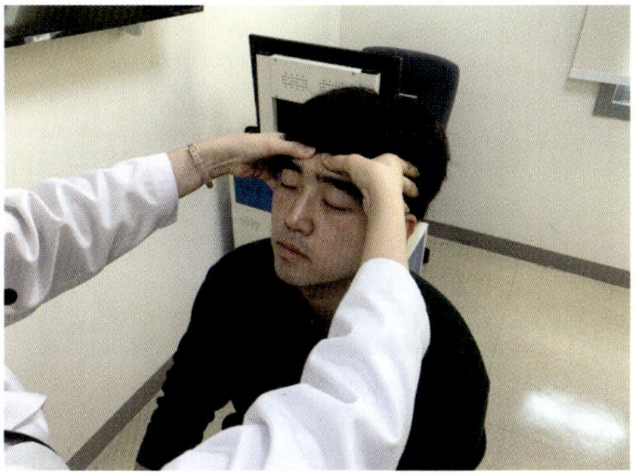

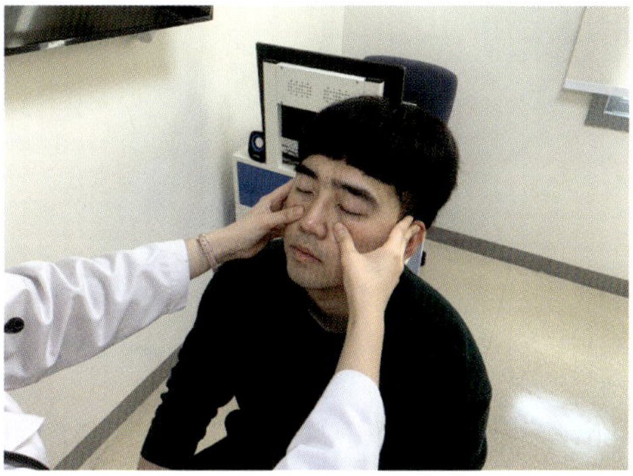

"아프진 않으세요?"

Tip 손이 SP의 얼굴이나 목으로 향하는 신체진찰을 할 때는 미리 자신의 신체에 손을 대는 시늉을 하거나 "제 손이 얼굴에 닿습니다."라고 말해주면 PPI를 쌓는 데 도움이 됩니다.

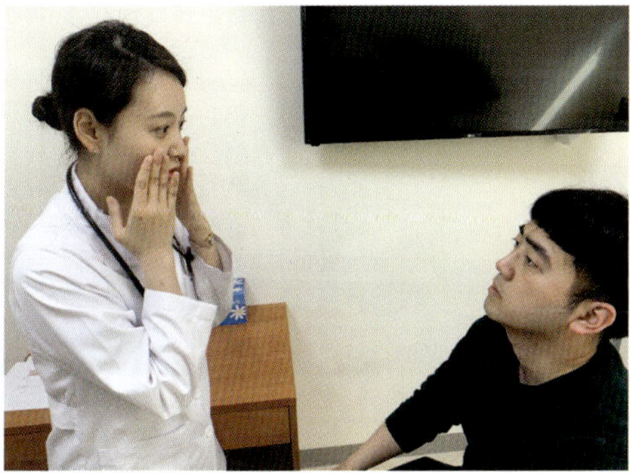

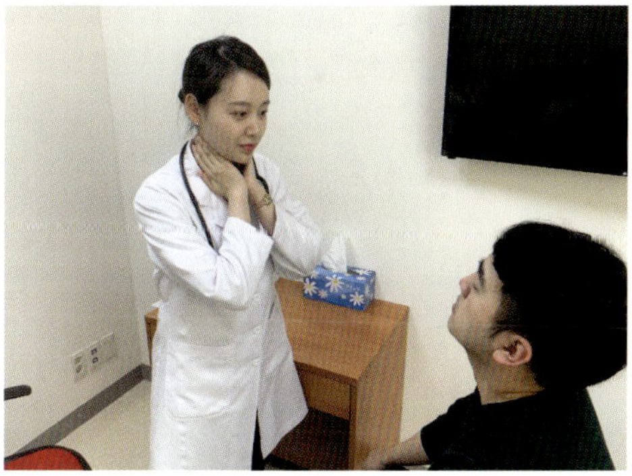

4) 입(구강 병소 확인)

(1) "크게 아 한 번 해보세요."

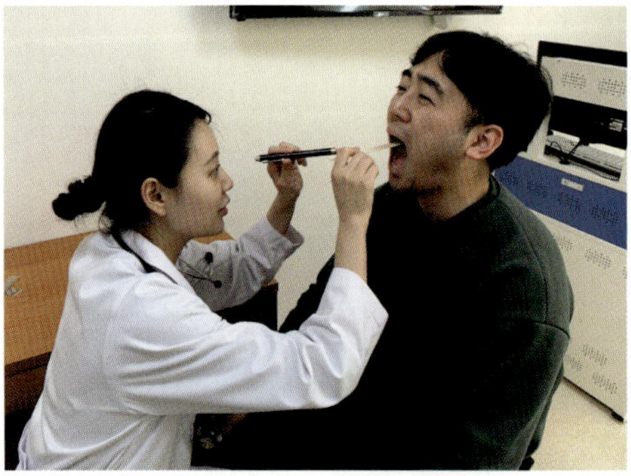

(2) "에 한 번 해보시구요."

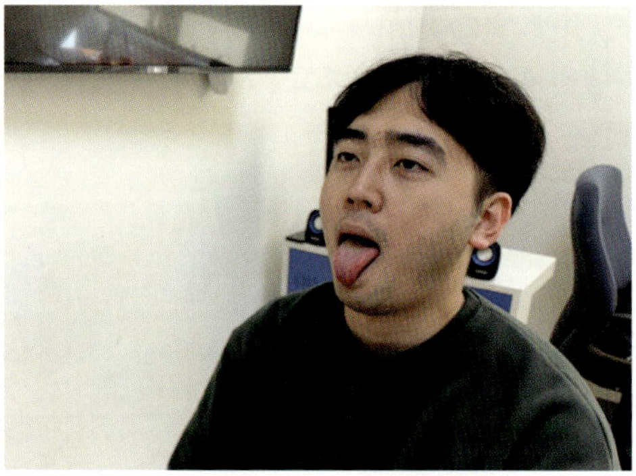

5) 림프절과 갑상샘 촉진

(1) 림프절 촉진 : 귀 옆의 preauricular nodes부터 쇄골 위의 Vircho-Trousier nodes(췌장암, 간암, 위암 시 비대)까지 내려오면서 손 끝으로 꼼꼼히 촉진해줍니다.

"목을 살짝 아래로 굽혀주세요."

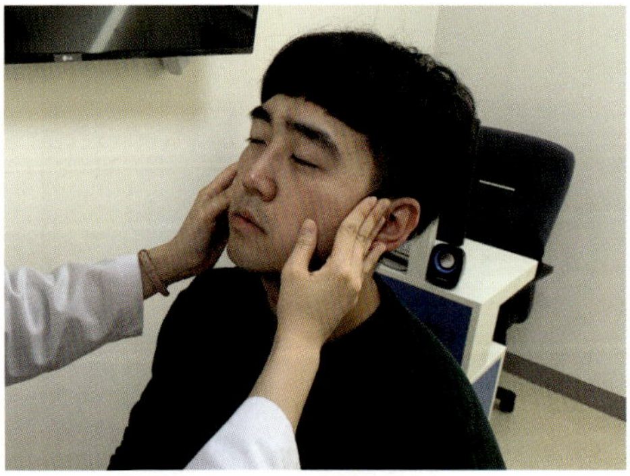

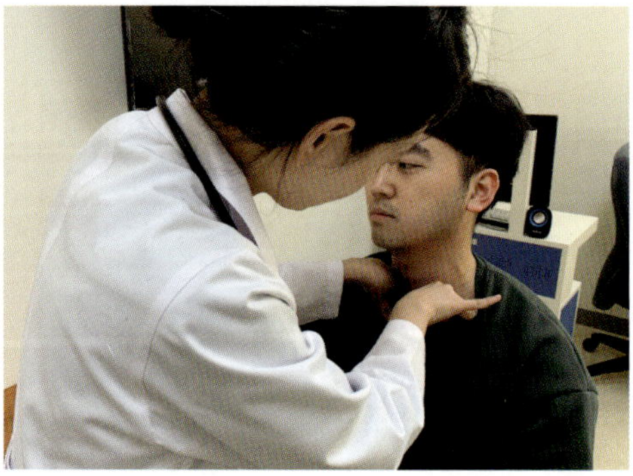

(2) 갑상샘 촉진 : 왼손으로 갑상샘을 오른쪽으로 밀고 오른손으로는 Left lobe을 만져줍니다. 다음으로 침을 삼키게 합니다. 반대편도 마찬가지로 시행하면 됩니다.

"꿀꺽 해보세요."

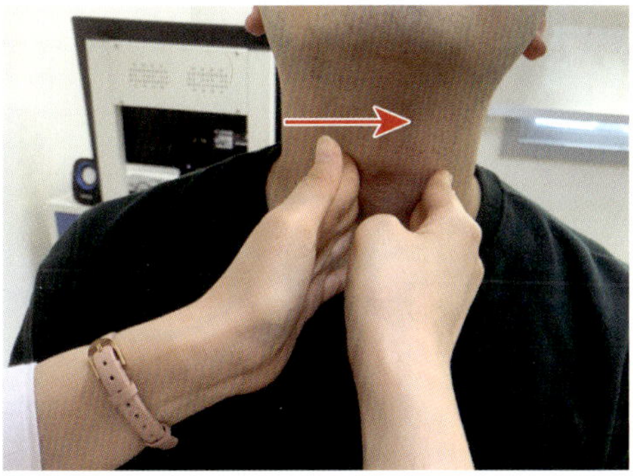
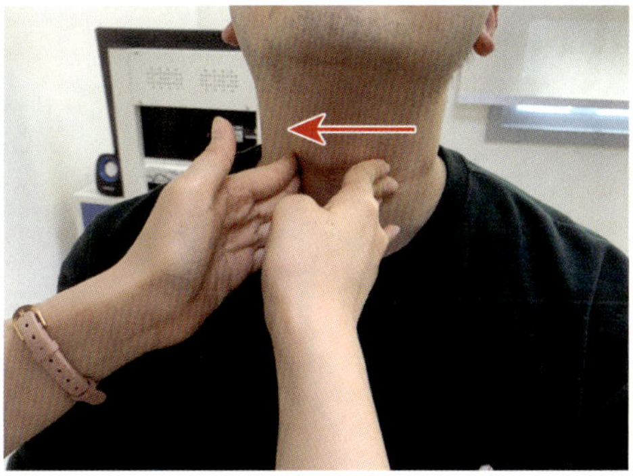

6) 손(피부 긴장도, 탈수 평가)

"손을 앞으로 뻗어보시구요, 제가 한번 꼬집어 볼게요."

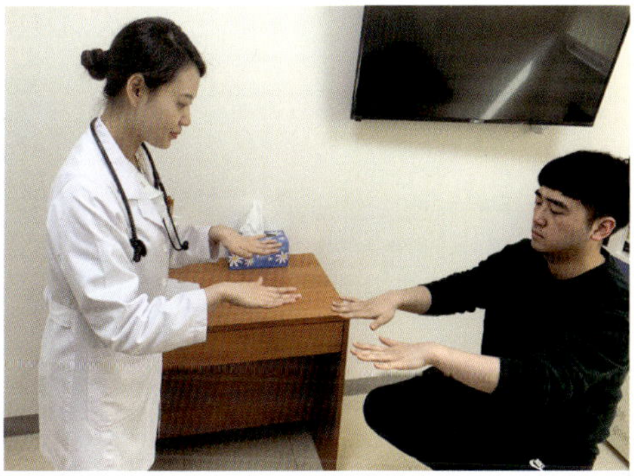
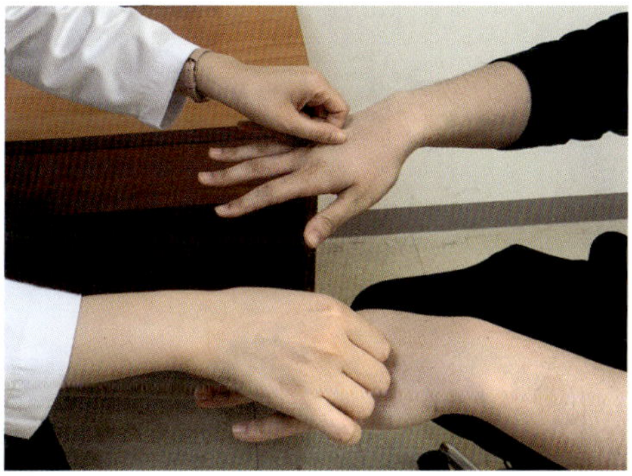

"네 탈수 소견은 없네요."

Tip 곤봉지, flapping tremor도 묶어서 하면 시간이 절약됩니다.

7) 다리(오목부종 평가)

"양쪽 바지를 좀 걷어주시구요, 이번에는 제가 정강이를 좀 눌러볼게요."

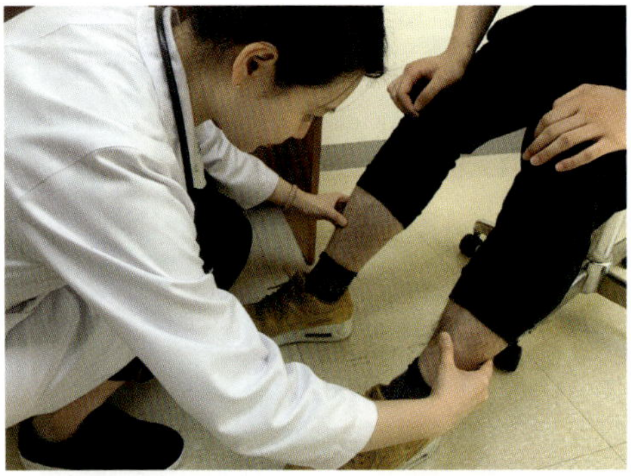

"부종 소견도 없습니다. 좋네요."

3 순환기

1) 심음 청진

"가슴 소리를 들어보려고 하는데, 상의를 충분히 올려주실 수 있을까요? 청진기가 조금 차갑습니다.(하~)"

(1) Aortic → Pulmonic → Tricuspid → Mitral(apex)

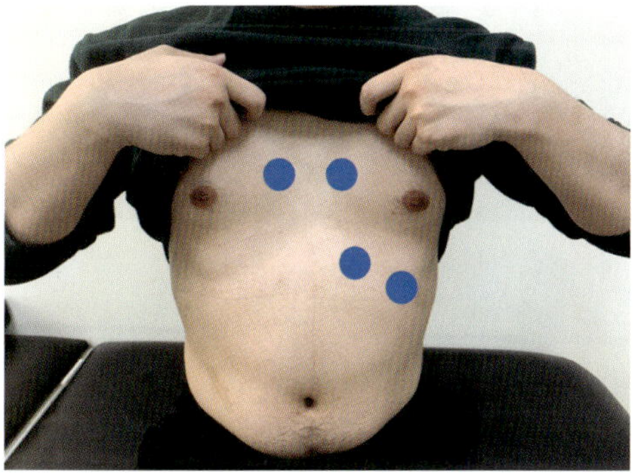

(2) Erb's area(Lt. 3rd ICS)

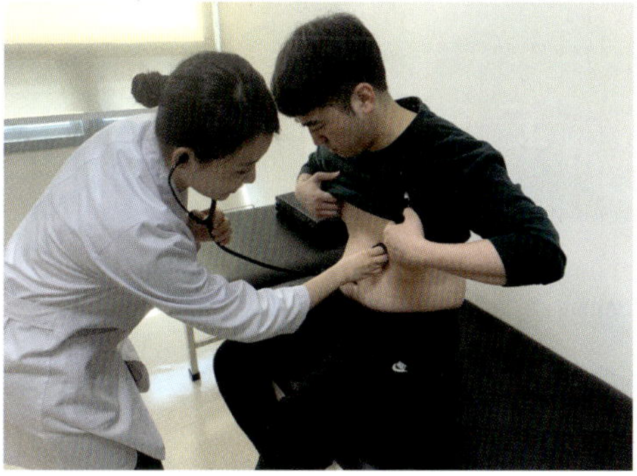

Tip Erb's area를 청진할 때는 상체를 앞으로 숙여달라고 부탁합니다.

2) 경정맥 시진, 청진(문진에서 SVC synd., 울혈성 심부전이 의심될 때)

침상을 45도 세우고 SP의 고개를 돌린 뒤 시진하고 청진기의 bell로 청진합니다.

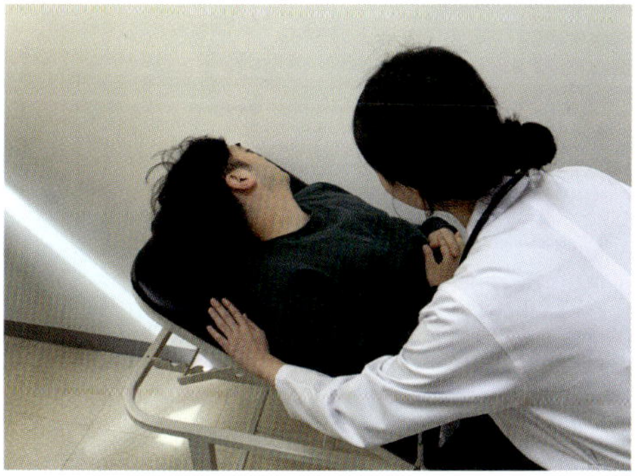

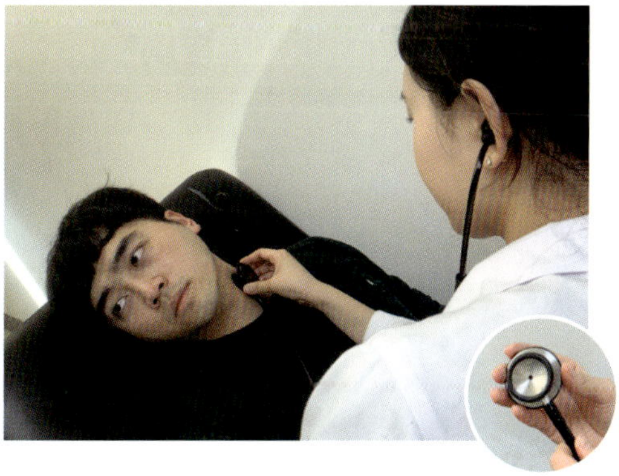

3) 경동맥 촉진, 청진

경정맥과 달리 90도로 앉은 자세에서 수행합니다. 고개를 젖힌 후 숨을 들이 쉬고 내쉰 다음 숨을 참으라고 한 뒤 청진합니다.

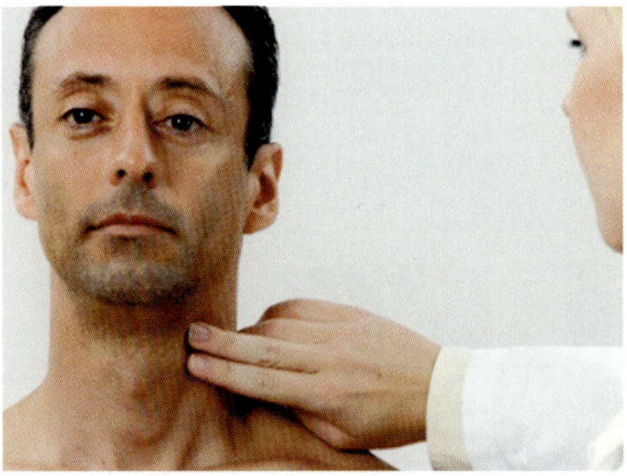

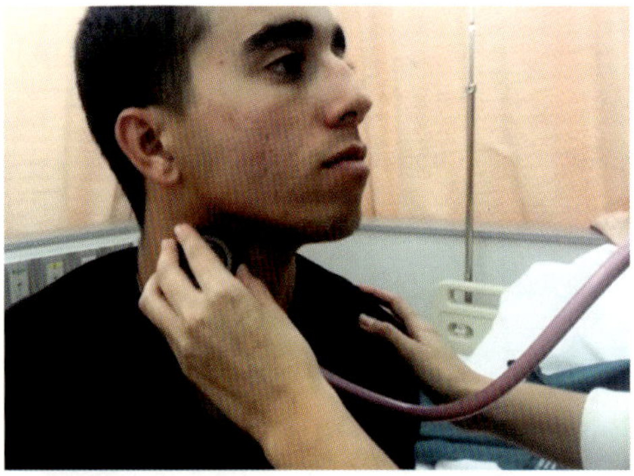

4) 맥박 확인

(1) 노동맥 촉진

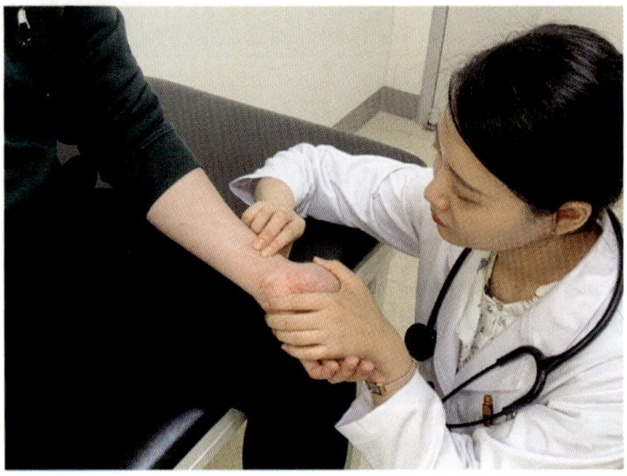

(2) 발등동맥 : plantarflexion시킨 다음 촉진

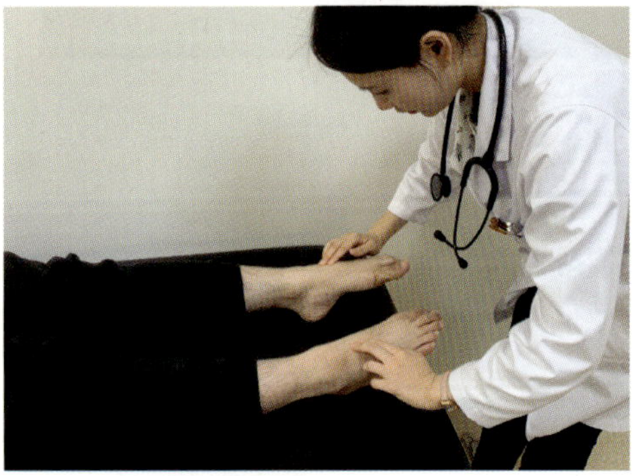

Ix : 다리가 조이고 땡긴다고 할 때

5) 신동맥 청진(신혈관성 고혈압, drug resistance HTN)

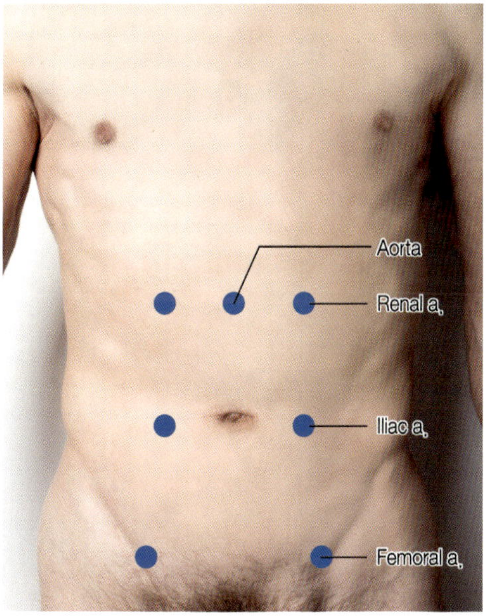

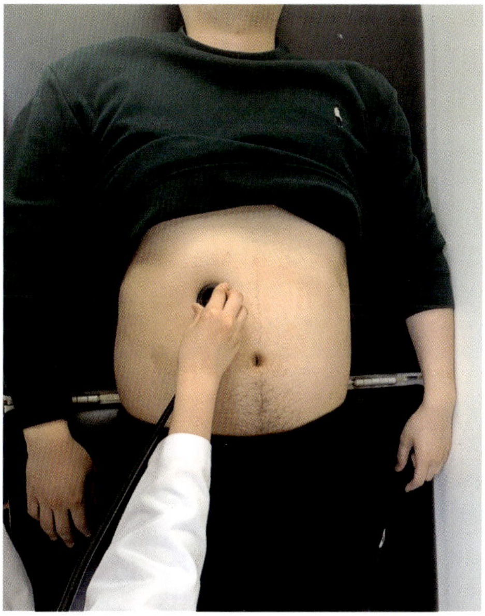

6) 복부종괴촉진(갈색세포종)

콩팥, 간, 지라 촉진도 같은 방법으로 촉진합니다.

① Rt.

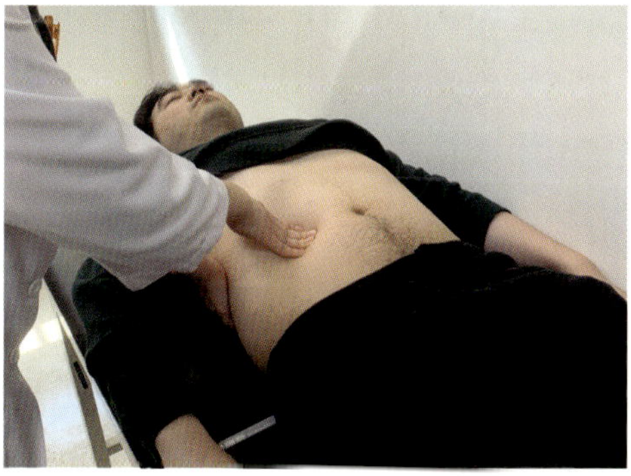

② Lt

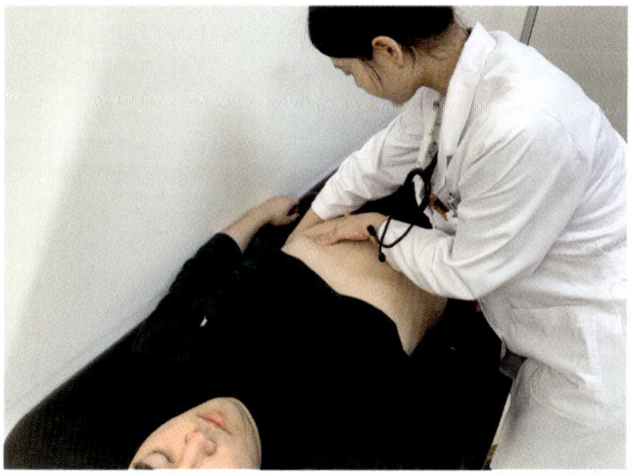

7) 팔꿈치, 발꿈치 시진(이상지질혈증)

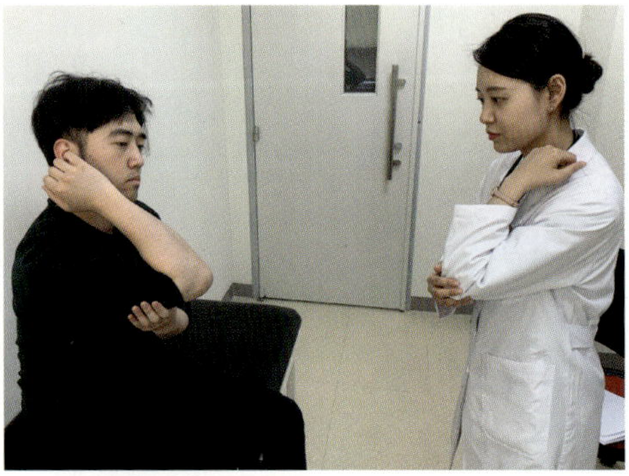

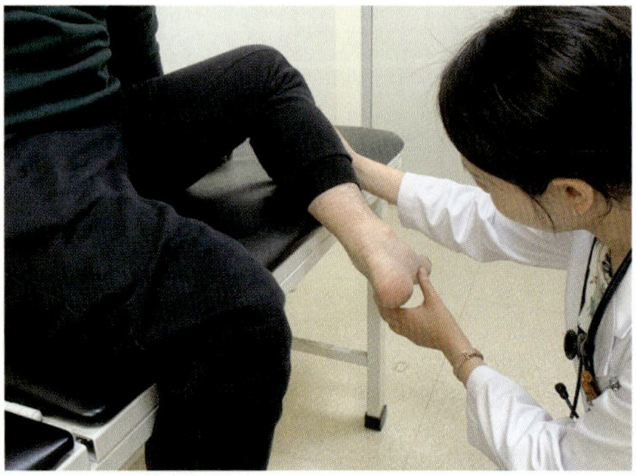

8) 갈비연골 촉진(갈비연골염)

multiple lesion을 갖는 경우가 흔하므로 2~3 군데를 촉진해야 합니다.

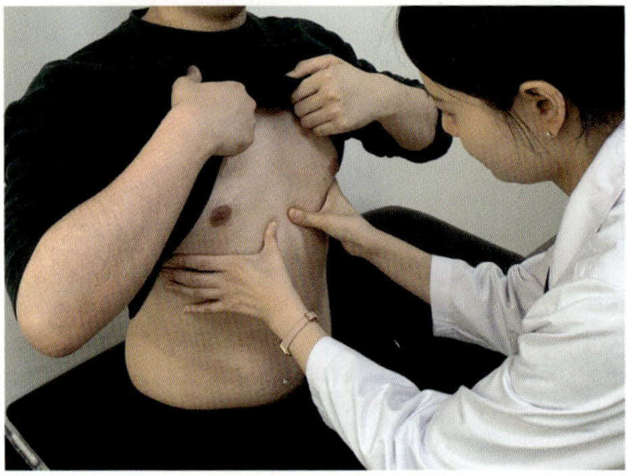

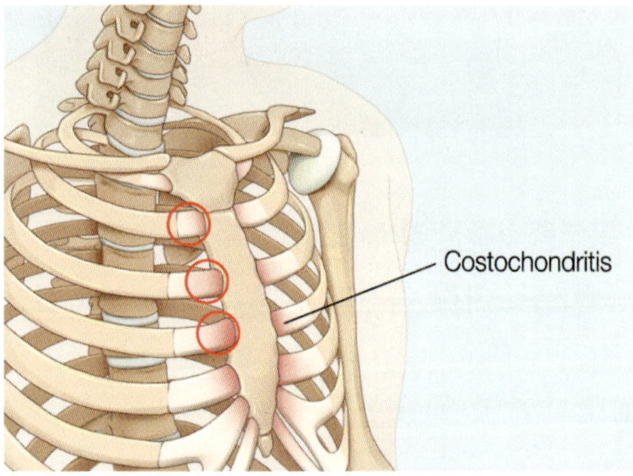

9) 허리둘레 측정(고혈압, 고지혈증, 대사증후군)

양 발을 어깨넓이로 벌리고 숨을 내쉬게 한 뒤,

(1) WHO 기준 : iliac crest에서 가장 높은 부분과 흉곽(rib cage)의 가장 아래 부분의 중간 지점

(2) NIH 기준 : iliac crest에서 가장 높은 부분에서 측정

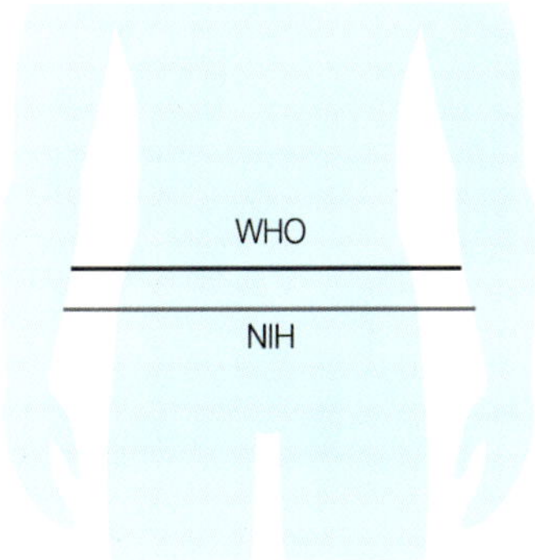

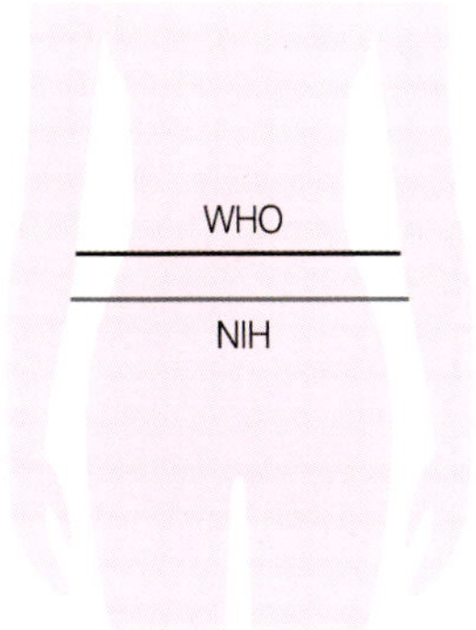

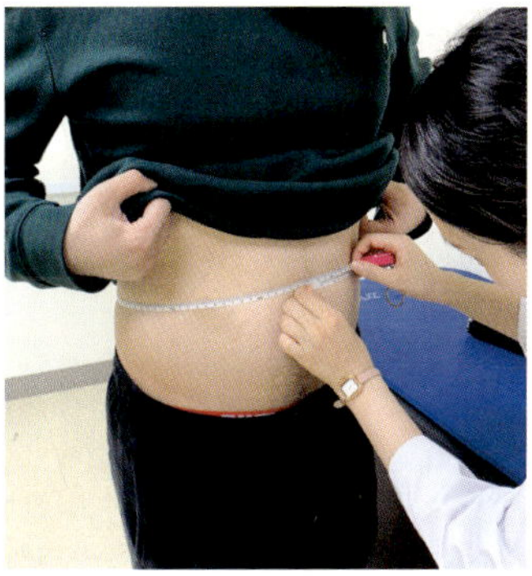

Etc.

(1) 머리 감싸고 쭈그리기(education) : 실신 전조증상이나 어지럼증이 시작될 때 취해야 할 자세를 교육

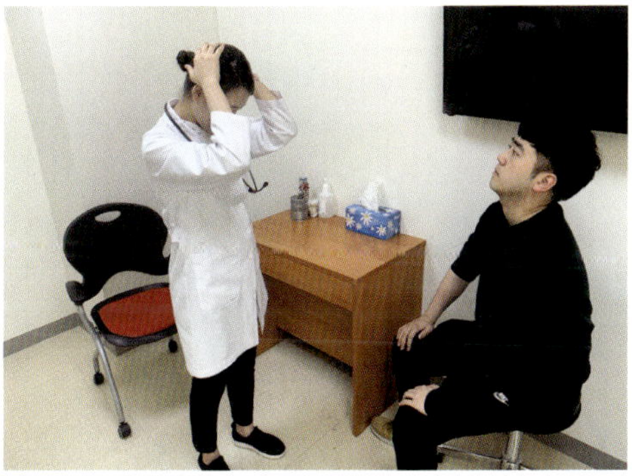

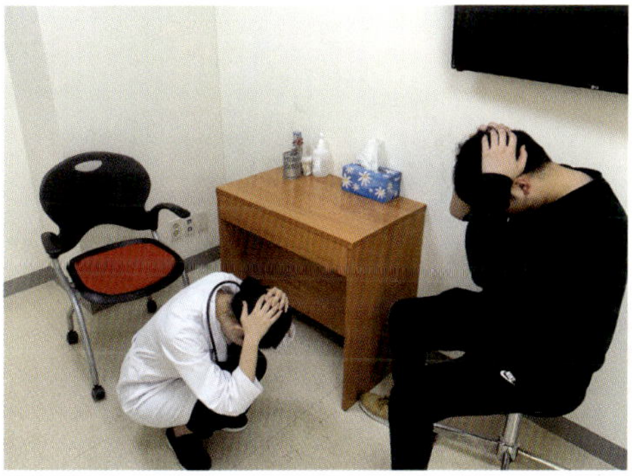

(2) 흉통의 양상(history taking) : 어깨나 등으로 뻗치지는 않나요?

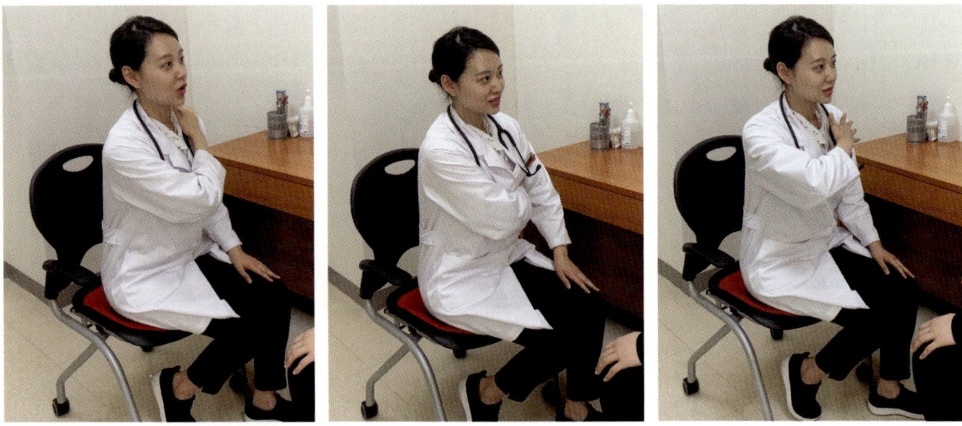

4 호흡기

1) 흉부진찰(시촉타청)

Tip 의자에 앉은 채로, SP의 등에서 하는 것이 좋습니다.

(1) 시진 : "양쪽 대칭적이고 함몰이나 다른 이상은 관찰되지 않네요."

(2) 촉진 1 : 가슴 팽창 범위, 대칭 확인

양손 엄지를 이용하여 얇은 주름이 생길 정도로 민 상태에서 "숨을 깊게 들이쉬어 보세요."

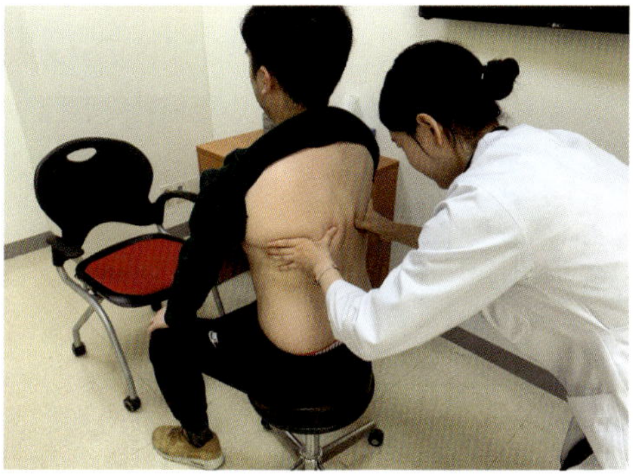

촉진 2 : 양쪽 손날을 SP의 등에 대고 "아 해보세요." × 3

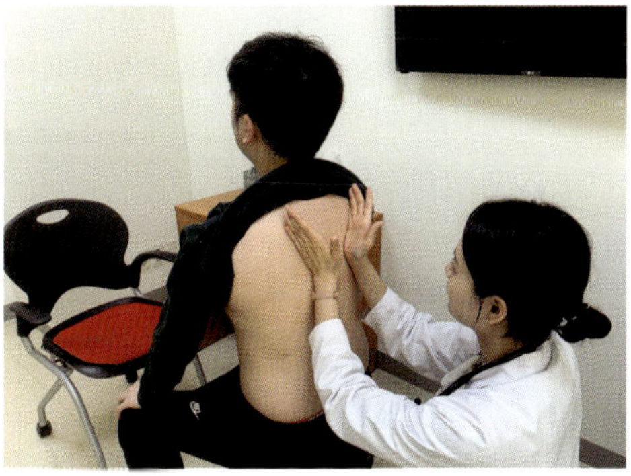

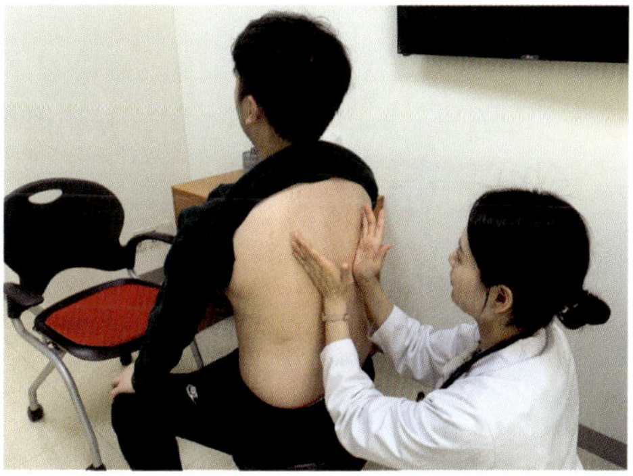

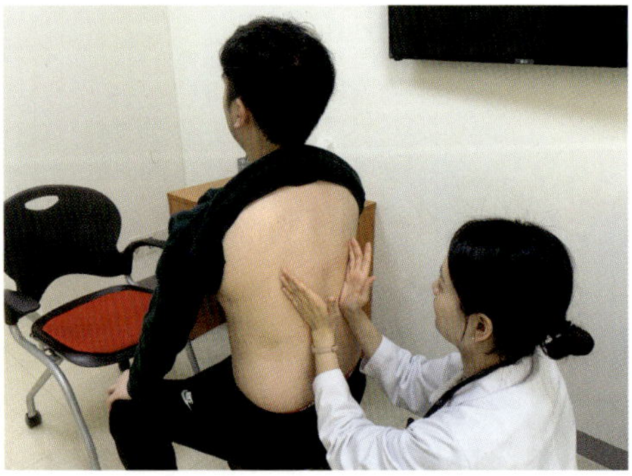

(3) 타진 : Lung의 apex부터 'ㄹ'자 순서로 6군데를 타진

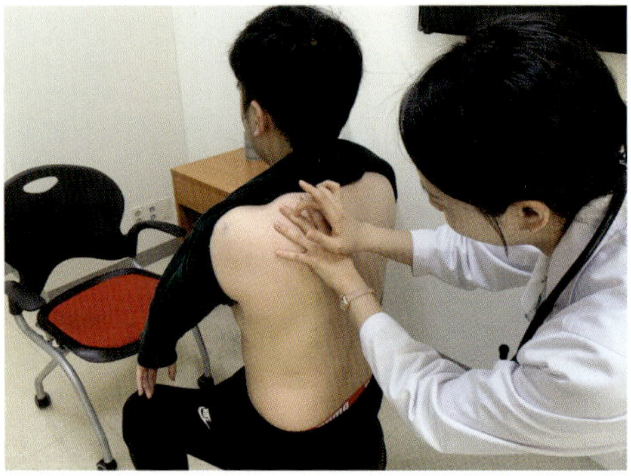

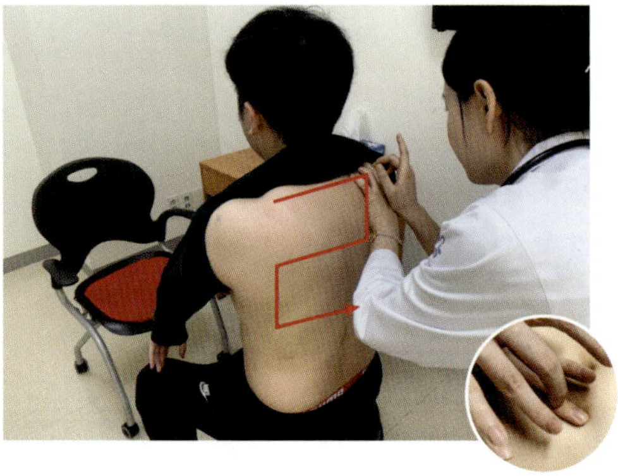

Tip 신체진찰 몇 가지를 생략하더라도 타진을 잘 할 경우 SP로 하여금 의사다움을 느끼게 해줄 수 있습니다. 타진은 왼쪽 가운데 손가락에 굳은 살이 베길 정도로 세게 쳐야 합니다.

(4) 청진 1 : "제가 손을 올릴 때는 숨을 들이 쉬어 주시고 내릴 때는 내쉬어 주시면 됩니다."

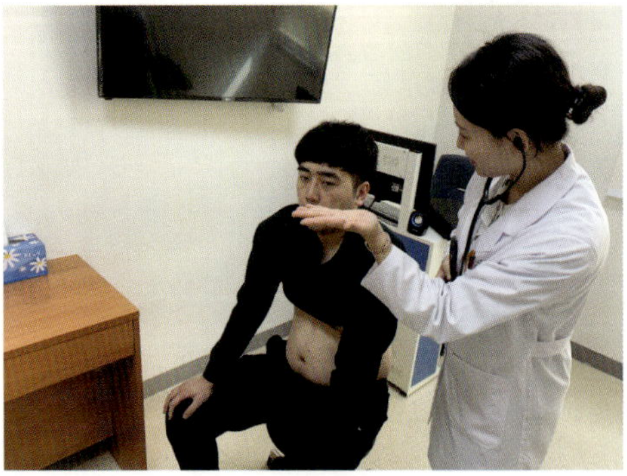

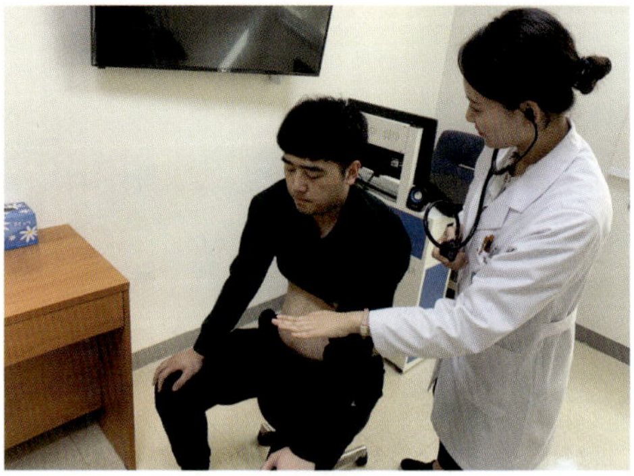

청진 2 : 타진과 마찬가지로 'ㄹ'자 순서로 6군데를 청진

"청진기가 조금 차갑습니다."

(손을 올리며) "들이 쉬시고"

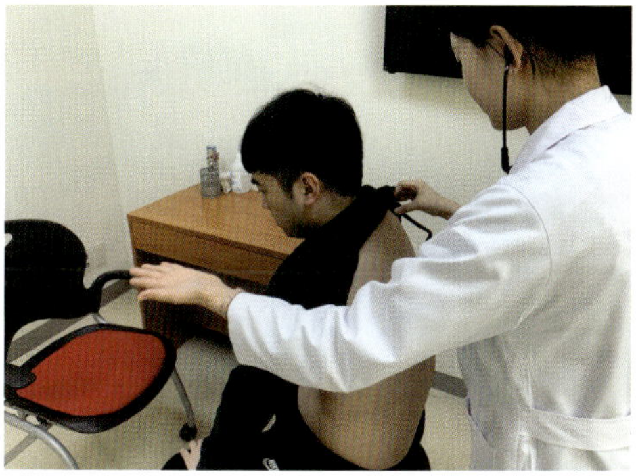

(손을 내리며) "내 쉬시고"

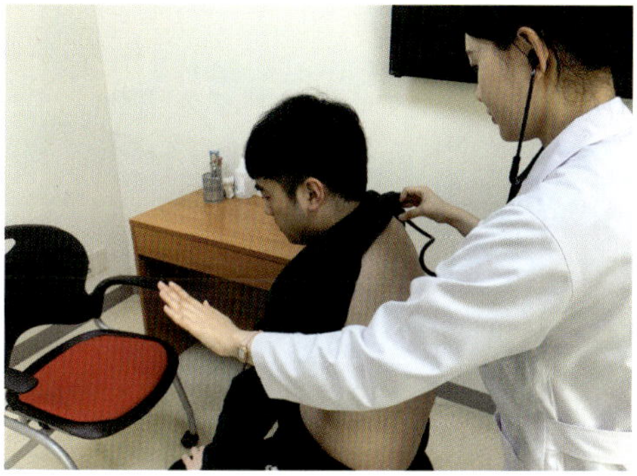

Tip 청진기 끼는 법 : 이어팁이 귀를 다 막지 않도록 아래에 걸친다는 느낌으로 착용합니다. 이는 환자와 대화, 및 짝수(홀수)방 입실 안내소리를 듣는데 도움이 됩니다.

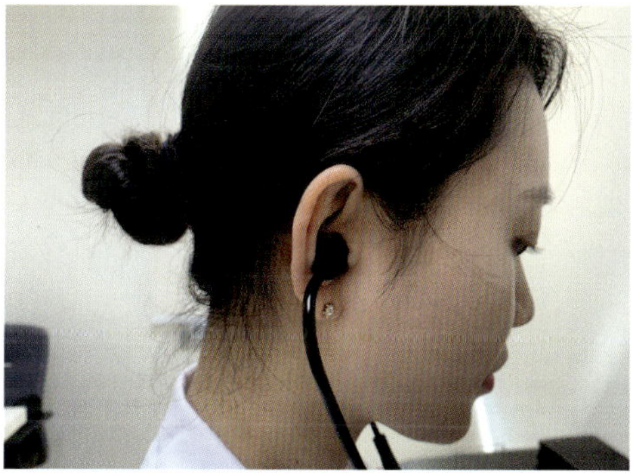

Tip 흉부진찰 이후 SP가 숨이 찰 수 있으므로 "고생하셨습니다. 숨이 많이 차시죠? 숨 고를 시간을 좀 드릴까요?"하면 PPI를 쌓을 수 있습니다.

가슴 전면에 대해서도 후면에서와 같은 방법으로 흉부진찰을 수행할 수 있습니다. 흉부진찰은 시간이 꽤 소요되는 신체진찰으로, 다음과 같이 변형하여 수행합니다.

① 가슴 후면 : 일반적인 증례

② 가슴 후면 & 정면(청진만) : 호흡곤란

③ 가슴 후면 & 정면 : 기침

2) 곤봉지(객혈, 호흡곤란)

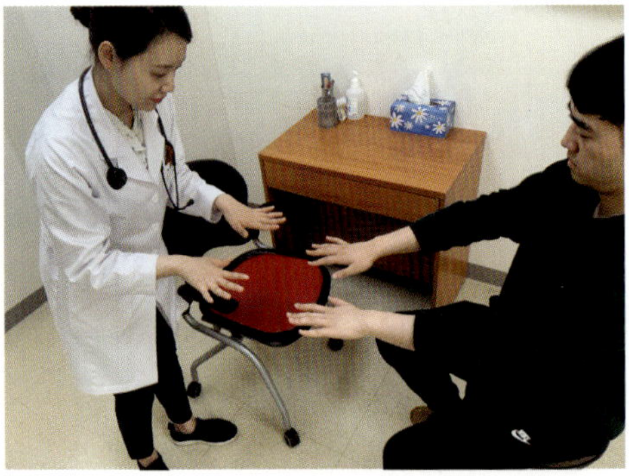

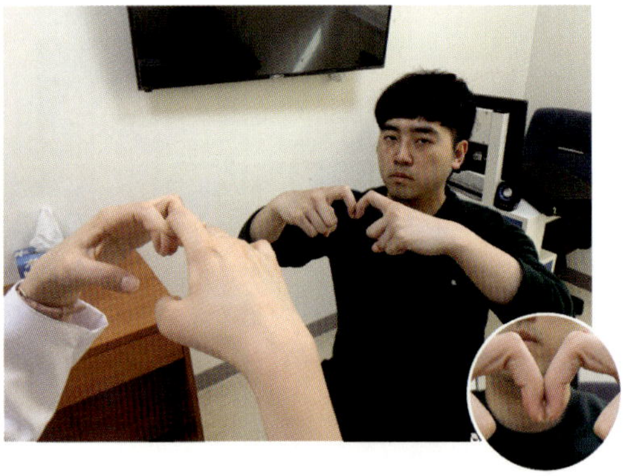

3) Homan's sign(DVT)

① 올바른 예

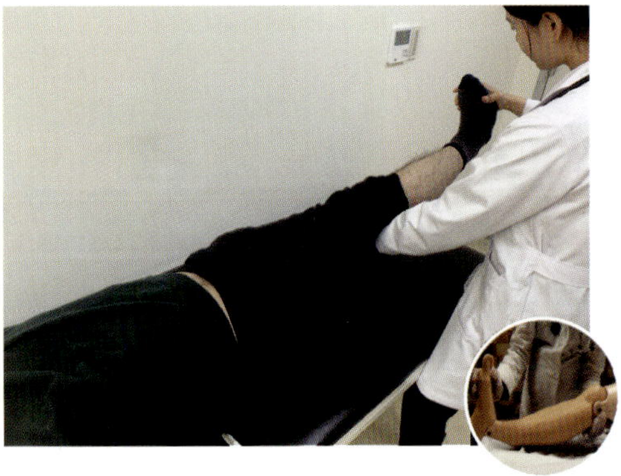

오금을 가볍게 받치고 dorsiflexion

② 잘못된 예

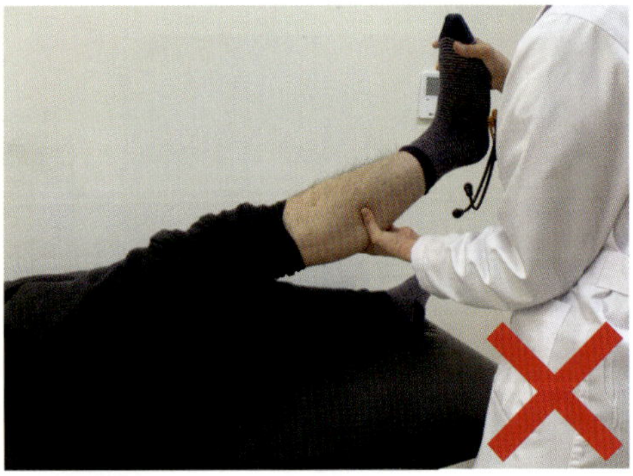

종아리를 주무를 경우 혈전이 이동할 수 있음

실제 DVT 환자의 약 10%에서만 호만 양성이 나타나므로 민감도가 낮고 혈전색전증을 일으킬 수 있어 안전하지 않은 검사입니다. CPX에서는 합니다.

4) 비경검사(비경이 책상 위에 있을 경우에만)

"고개를 뒤로 좀 젖혀주시구요, 조금 차갑습니다."

(1) 코 벌리기

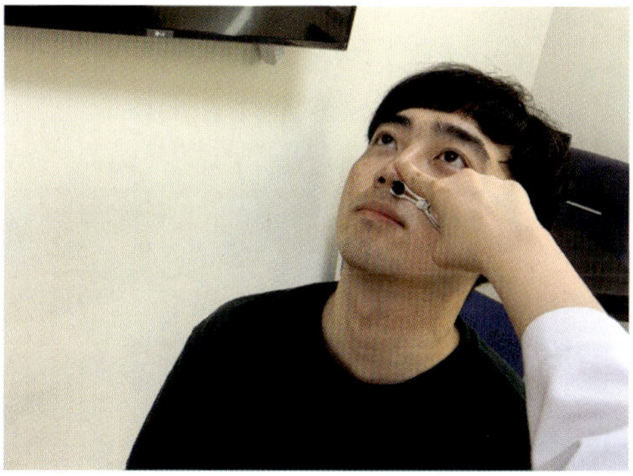

(2) 펜라이트 비추기

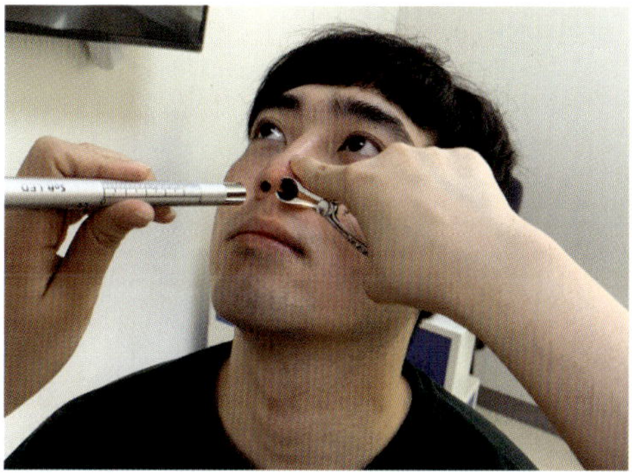

5 소화기

1) 복부진찰(시청타촉)

(1) 시진 : 환자의 오른편에서 시진

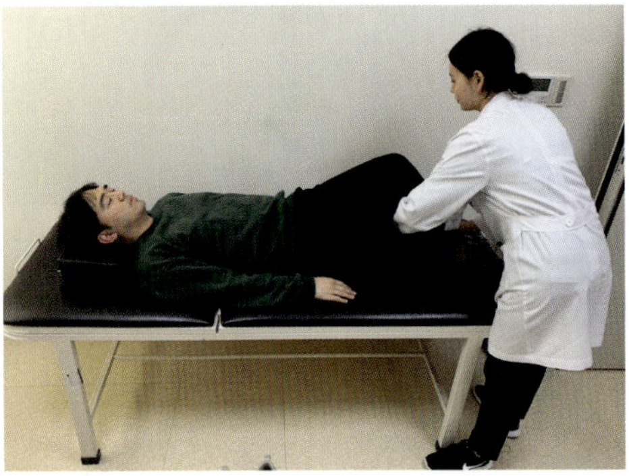

"무릎을 구부리시고 팔은 편하게 아래로 내려주세요."

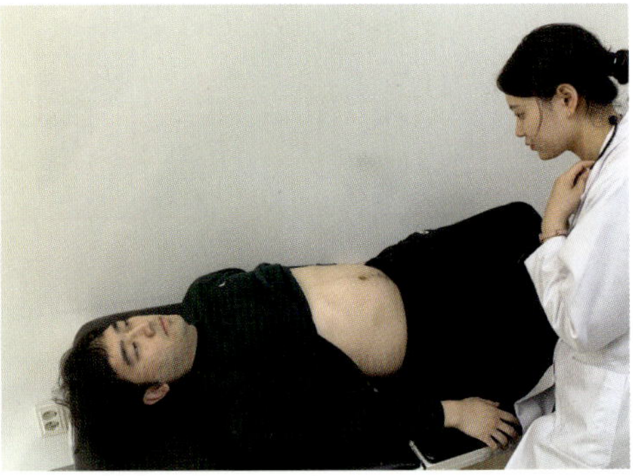

"복부를 노출시켜주세요."

(2) 청진 : 아픈 곳에서 가장 멀리 떨어진 quadrant부터 청진

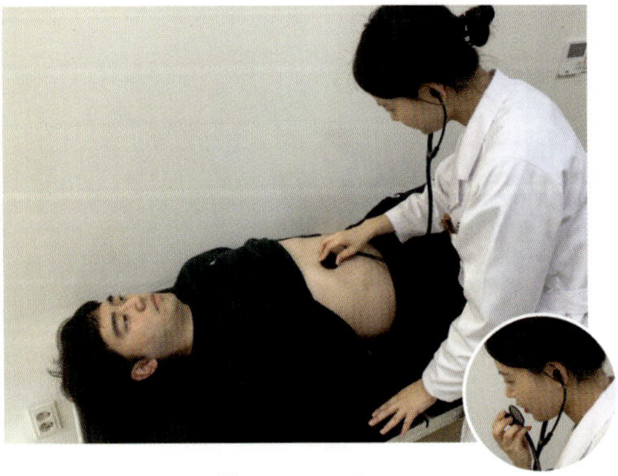

"어느 쪽이 가장 불편하신가요?"

"안 아픈 쪽부터 뱃소리를 들어볼게요. 청진기가 조금 차갑습니다(하~입김)."

(3) 타진 '11'자 또는 '=자'로 타진

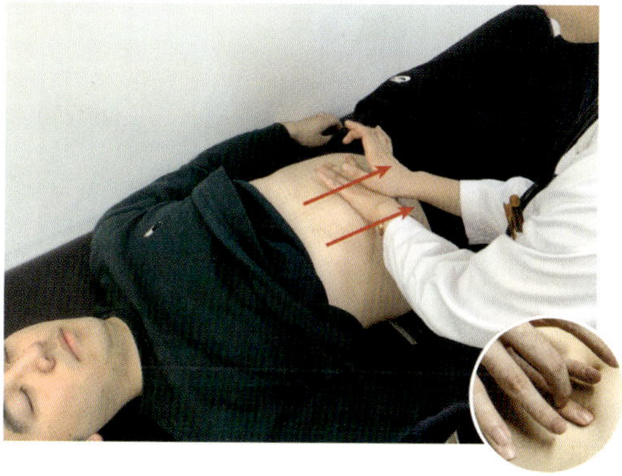

Tip 흉부진찰 때와 마찬가지로 타진은 성의껏 쳐야 합니다. 제대로 쳤다면 북소리가 나야 합니다.

(4) 촉진 : 아픈 쪽을 제일 마지막에 촉진합니다.
순서 : 얕은 촉진 4군데 → 깊은 촉진 4군데 → 아픈 쪽은 반동압통까지

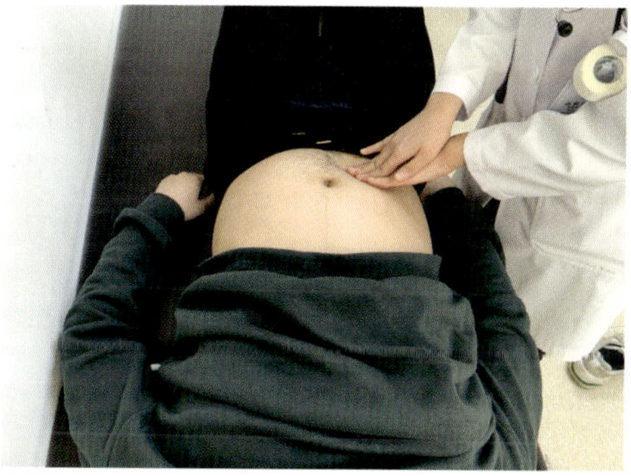

"이번에는 눌러볼 건데, 아프시면 말씀해주세요."
(환자 얼굴표정과 복부를 번갈아 보면서 촉진)

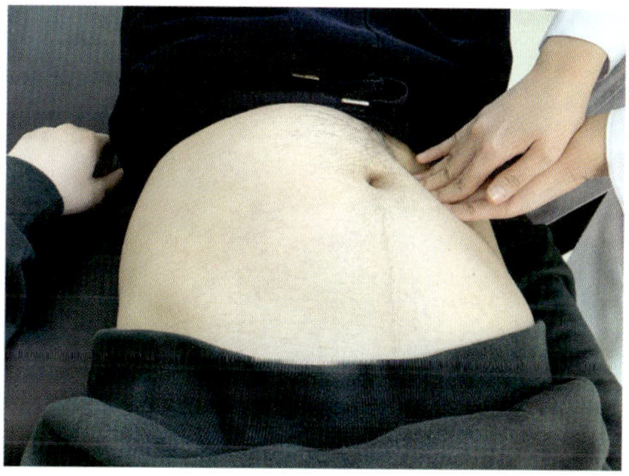

"조금 더 깊게 눌러볼게요."
SP "아!" → "다시 한번 눌러 볼게요."
(천천히 깊숙히 눌렀다 확 떼며)
"뗄 때는 어떤가요?
(아프다면) 아픈 곳을 가리켜보세요."

2) 간비비대 확인

(1) 간(타진)

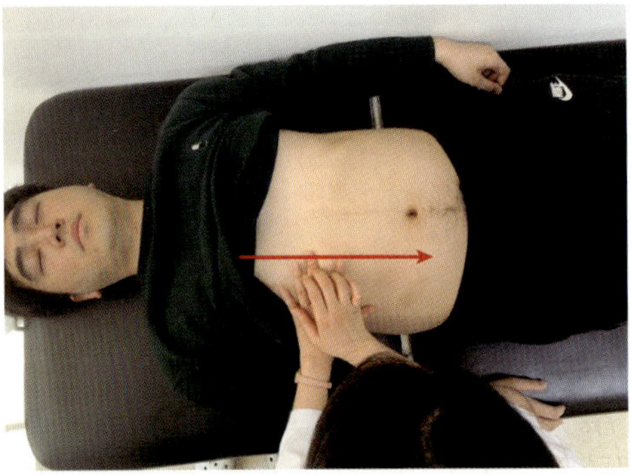

오른쪽 빗장중간선을 따라 유두부터 배꼽까지 타진

(2) 간(촉진)

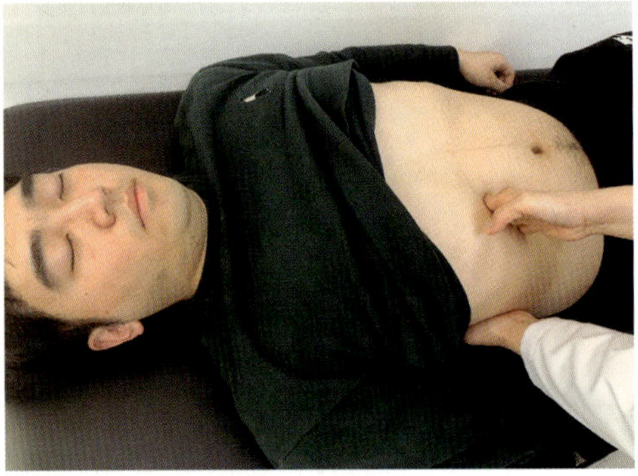

"숨을 내쉬어보세요."

"간 크기는 정상이네요/커져있네요."

(3) 비장 촉진

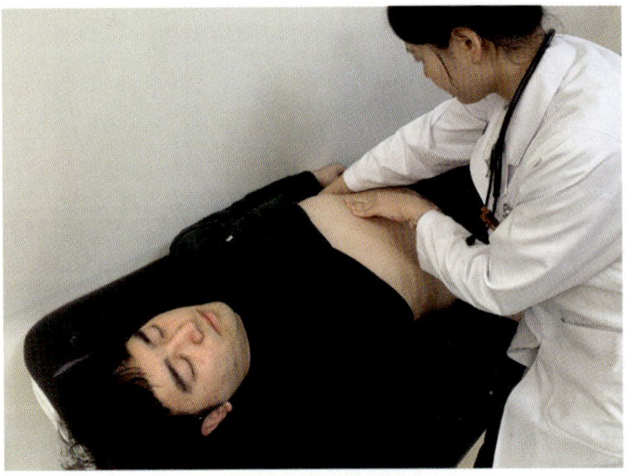

"비장 크기는 정상이네요/커져있네요."

3) Murphy's sign(급성 담낭염) : 간비대 촉진과 달리 한손으로 시행

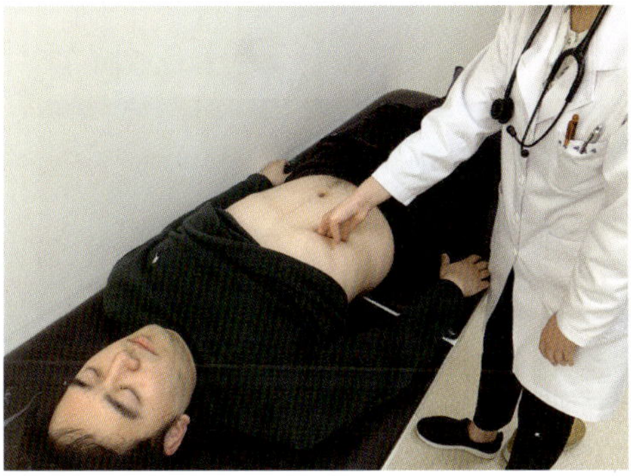

손 끝을 빗장중간선을 따라 늑골 아래에 위치시킨 뒤,
"배로 숨을 크게 천천히 들이 쉬세요."
만약 arrest of inspiration이 나타나면 Murphy's sign(+)

4) Couvoisier sign : 황달이 있을 경우 담낭비대나 췌두부암을 확인하기 위해 RUQ 촉진

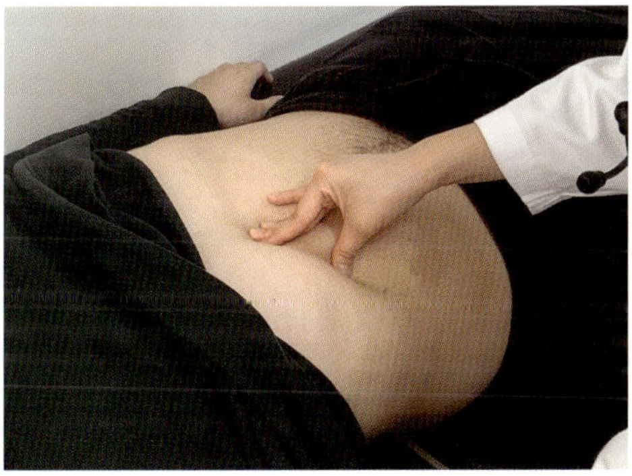

계란 크기의 덩이가 손에 잡혀질 경우 Couvoisier sign(+)

5) **복수** : shifting dullness와 fluid wave test 둘 중 하나를 하면 됩니다.

(1) Shifting dullness

① 옆 방향으로 타진

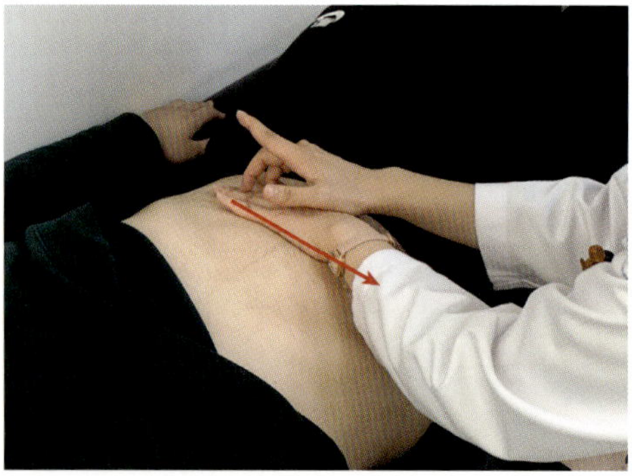

② 소리가 바뀌는 경계에서 손 끝을 멈추고

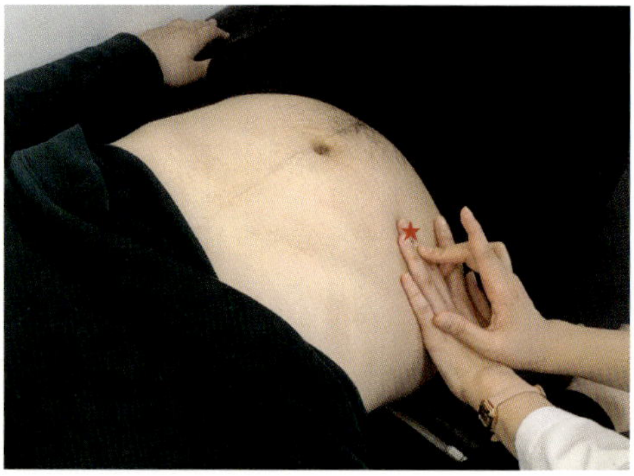

③ 벽을 보고 돌아 눕게 하여, 손 끝이 멈췄던 부위를 다시 타진

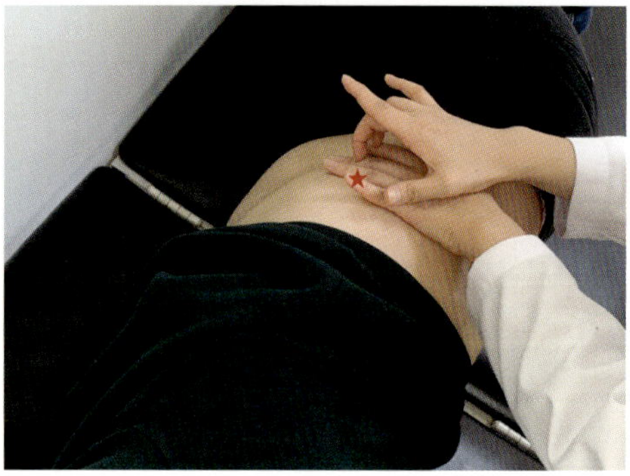

(2) Fluid wave test(추천)

SP에게 아래와 같은 자세를 취하게 한 뒤 양쪽 옆구리를 흔들어 복수의 출렁거림을 확인

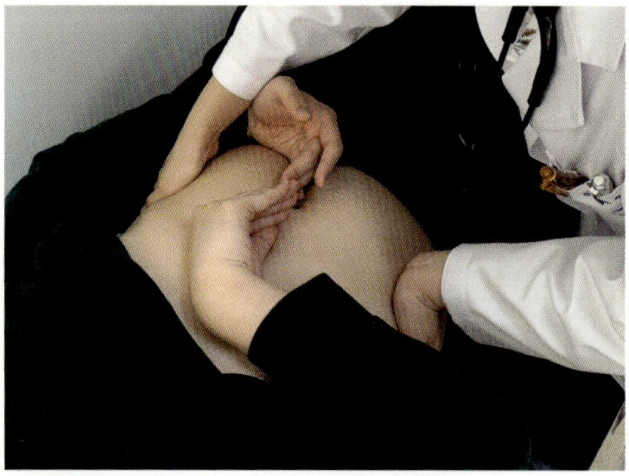

6) 충수돌기염

(1) Psoas sign

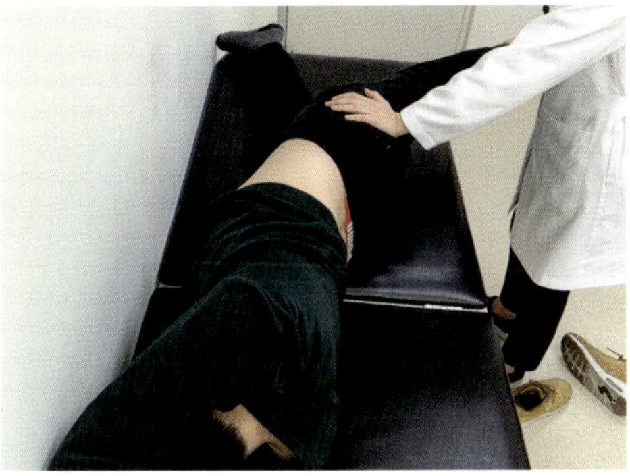

"벽을 보고 옆으로 누워주세요." "오른쪽 다리를 당겨볼게요. 제 손이 골반에 닿습니다."

(2) Obturator sign

무릎을 내측으로 internally rotate

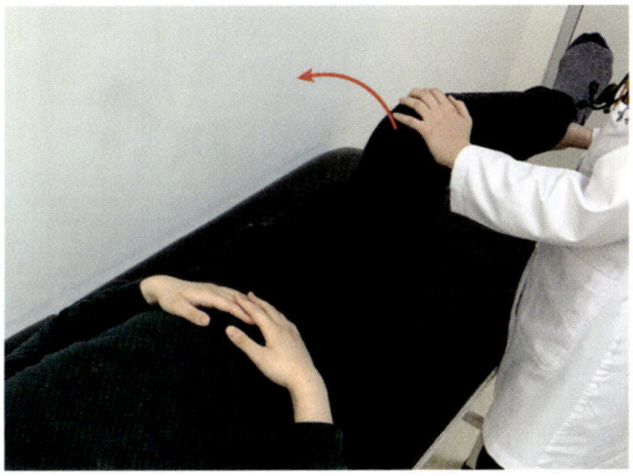

(3) Mcburney's sign(RLQ)

ASIS와 배꼽을 1:2로 내분하는 점을 촉진

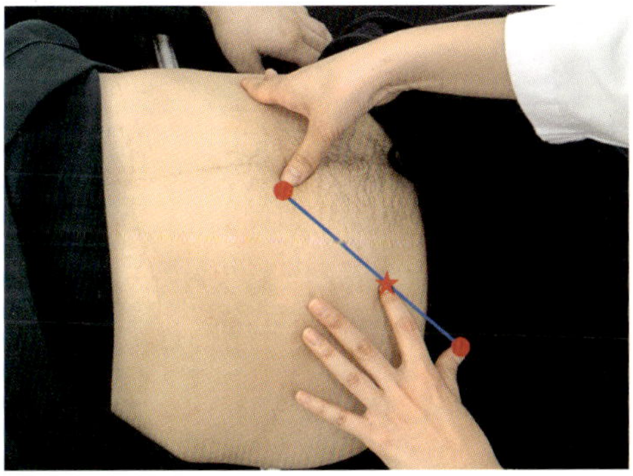

(4) Rovsing sign

Mcburney와 대칭을 이루는 LLQ를 촉진

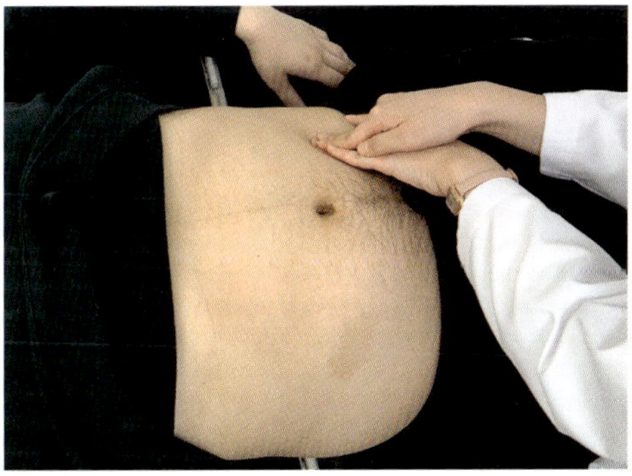

7) DRE, pelvic examination

검사를 시행하는 ① 이유와 목적에 대해서 설명하고 ② 동의를 구하고 나서 ③ 간단한 자세를 요구하면 베개 밑에서 검사 결과가 적힌 카드를 꺼내줍니다.

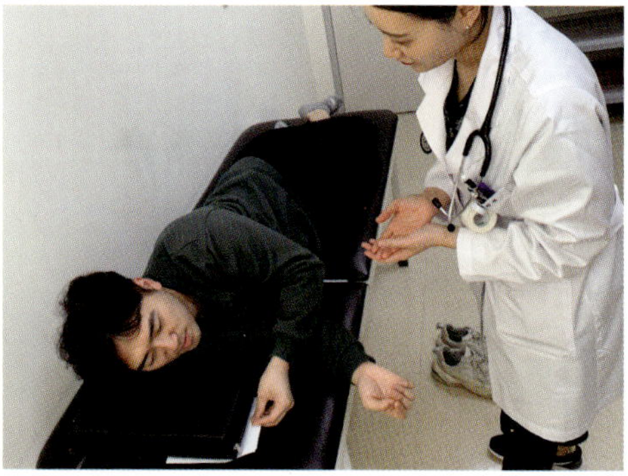

(1) DRE

"항문에 손가락을 넣어 변의 색깔을 보고 안에 만져지는 덩이가 있는지 확인하고자 합니다. 괜찮으시겠어요? 벽을 바라보고 옆으로…" (카드 꺼냄)

(2) Pelvic examination

"복통의 원인이 자궁이나 난소일 수 있어 골반검사를 시행하고자 합니다. 괜찮으시겠어요?"(카드 꺼냄)

〈카드 예시〉
직장수지검사 결과
붉은색 혈액이 묻어나오며 종괴는 발견되지 않음

〈카드 예시〉
골반검사 결과
왼쪽 부속기에 압통을 동반한 덩이가 만져지고 자궁목을 움직일 때 심한 통증을 호소함

카드를 받으면 카드에 적힌 내용을 간략하게 SP에게 설명해주어야 합니다.

Tip
- 실제로는 언급하는 순간("제가 환자분 항…"), 모의환자가 카드를 주섬주섬 꺼내게 되기에, 검사에 대한 자세한 설명으로 시간낭비를 하지 않아도 됩니다. 구체적으로 언급해야 주는 SP도 있습니다. "벽면을 보고 새우등 자세를 취해주세요. 불편할 수 있으니 심호흡을 하시고 엉덩이 괄약근에 힘을 풀어주세요."
- 체중증가 등 객관적으로 DRE, pelvic exam이 필요 없을 것 같은 증례에서도 검사를 진행하겠다고 하면 베개 밑에서 카드를 꺼내줍니다. 채점 기준에 들어가는지 확실하지는 않으나, 카드가 준비되어 있기 때문에 복부진찰을 수행하는 증례라면 DRE도 세트로 물어보는 것이 좋겠습니다.

8) Flapping tremor(토혈, 간성뇌증)

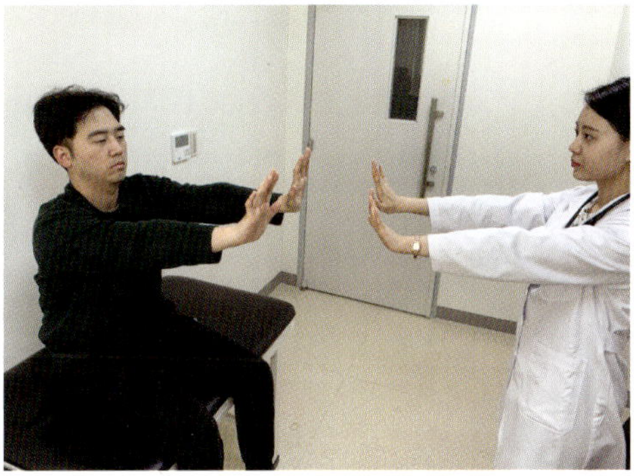

SP가 자세를 취하면 손목을 손등 쪽으로 밀어젖혀볼 수 있습니다.

9) 거미혈관종

"얼굴이나 손바닥에 혈관이상은 관찰되지 않네요. 혹시 가슴 쪽에는 이상이 없는지 좀 볼 수 있을까요?"

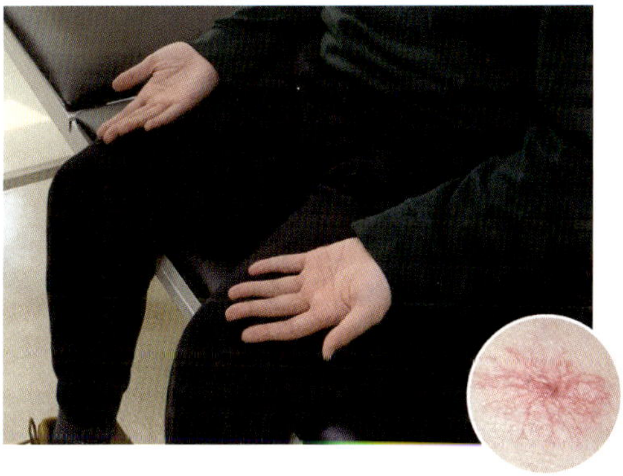

Tip 복부진찰을 하면서 가슴 쪽에 혈관 이상은 관찰되지 않는다고 말하고 넘어가도 됩니다.

6 정형

1) 관절 시촉(발열부압소)

① 압통

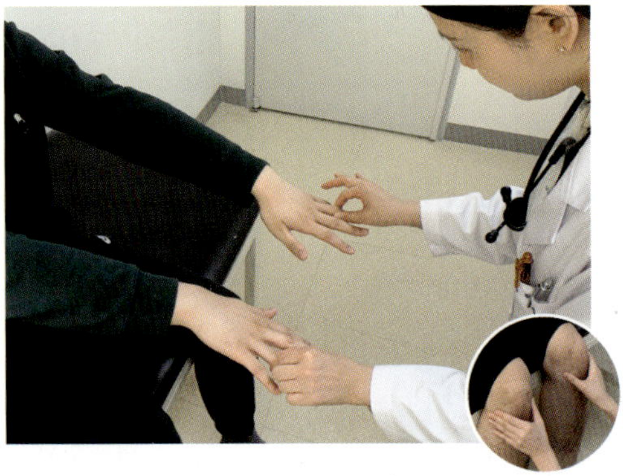

② 열감 : 손등을 대어 열감 유무를 확인

2) ROM(range of motion)

※ 각각의 ROM 이후 통증이 가장 심하게 유발되는 자세를 취할 것을 요구해야 합니다.

(1) 목, 허리 : ① Flexion/extension, ② Rt/Lt lateral bending, ③ Rt/Lt rotation

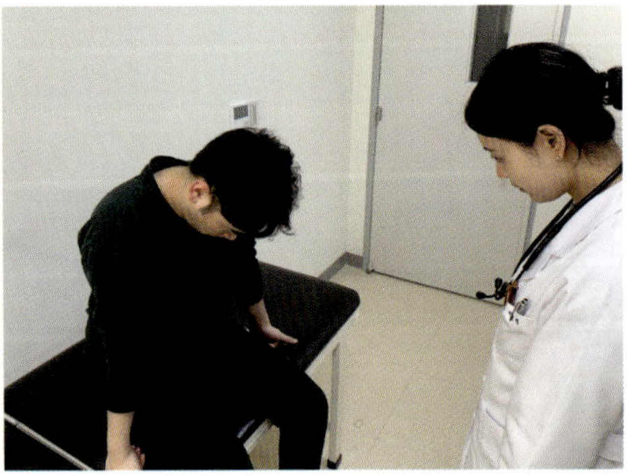

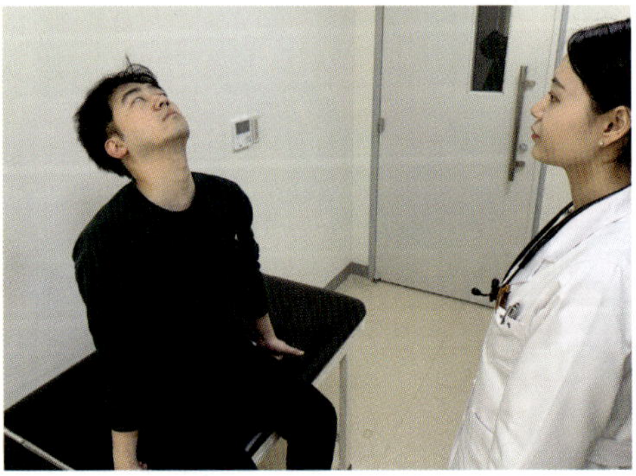

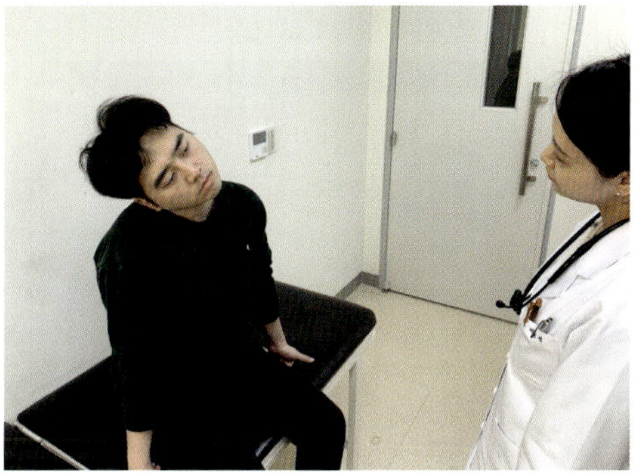

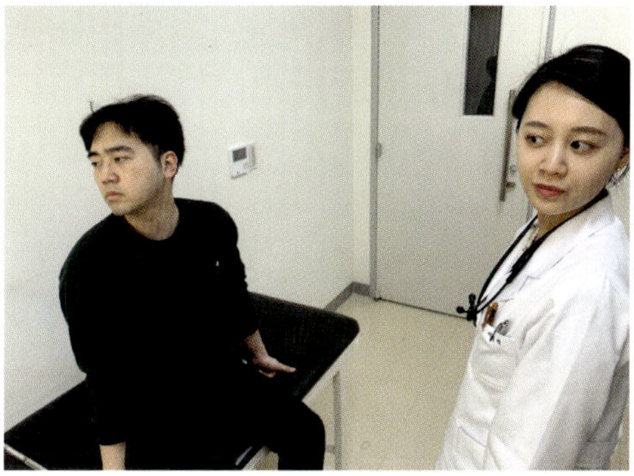

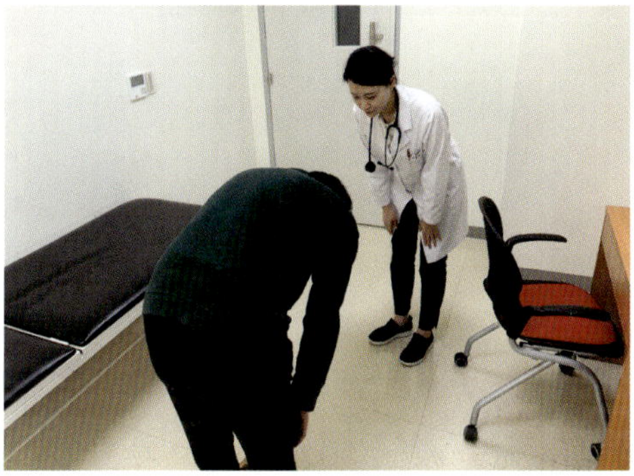

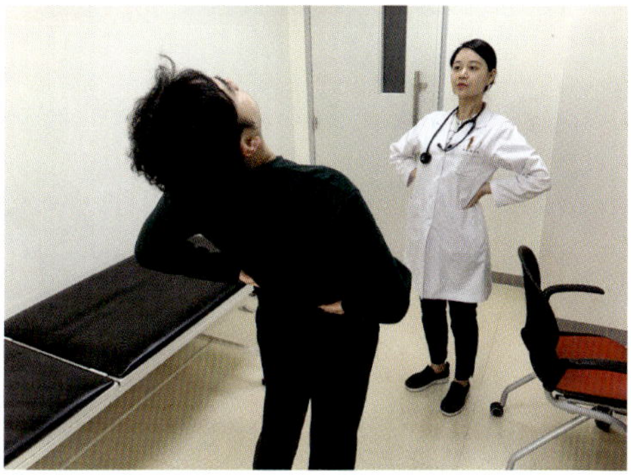

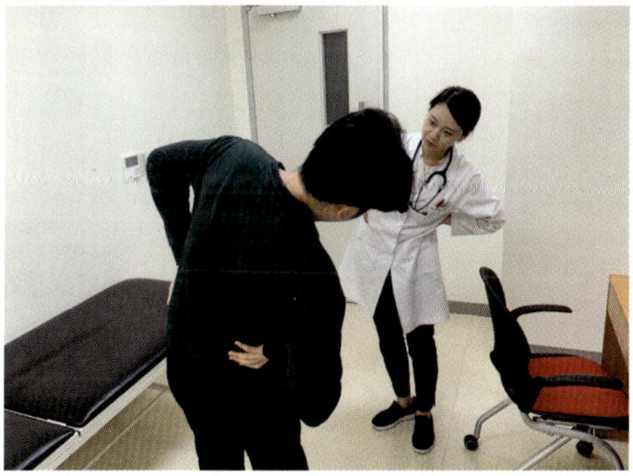

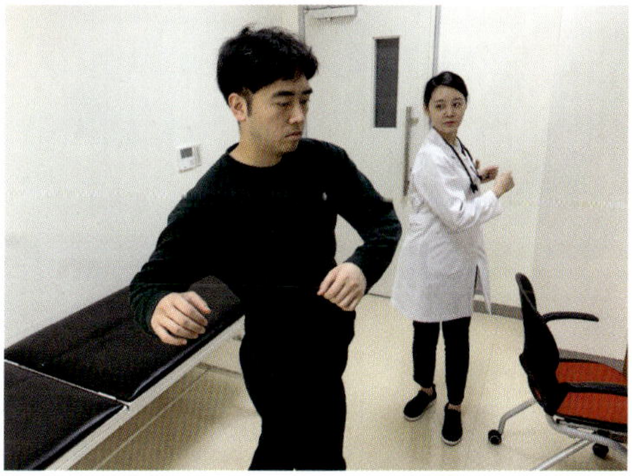

(2) 어깨 관절(수동/능동 평가) : ① 팔 위로 올리기 ② 뒤로 내회전

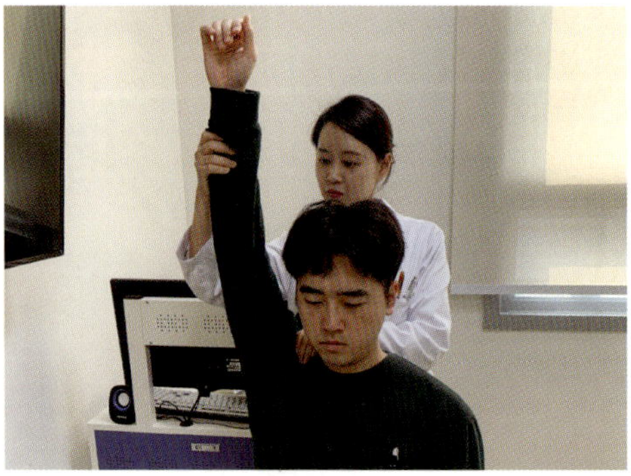

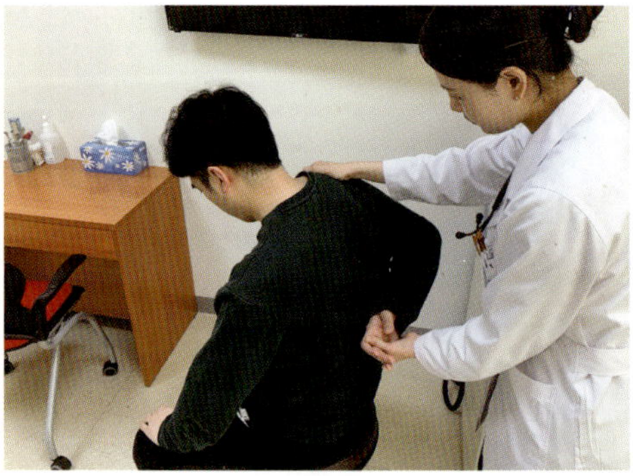

Tip 시간이 없으면 수동 평가만 시행합니다.

(3) 나머지(손가락, 무릎) : 말 그대로 관절가동범위(range of motion)를 확인

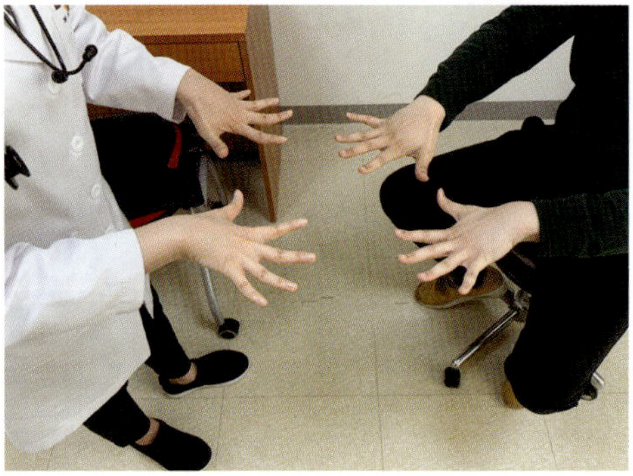

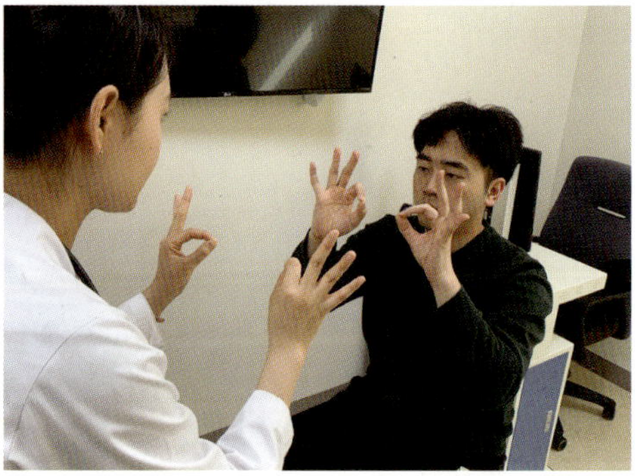

3) DTR(깊은힘줄반사)

(1) Biceps reflex(C5, C6)

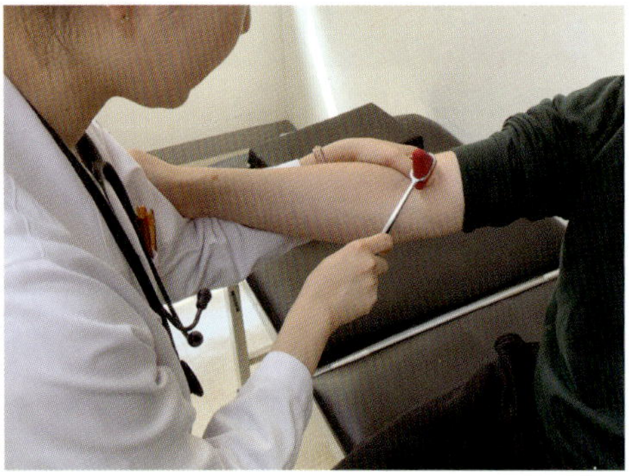

(2) Triceps reflex(C7, C8)

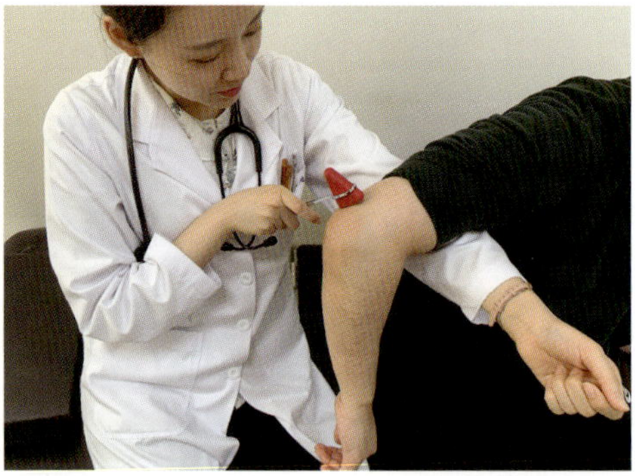

(3) Quadriceps(Patellar reflex, L3, L4) : SP가 무릎을 보게 하여서는 안 됩니다.

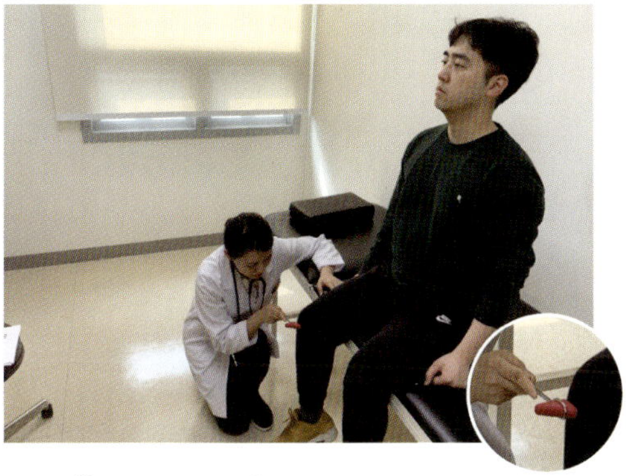

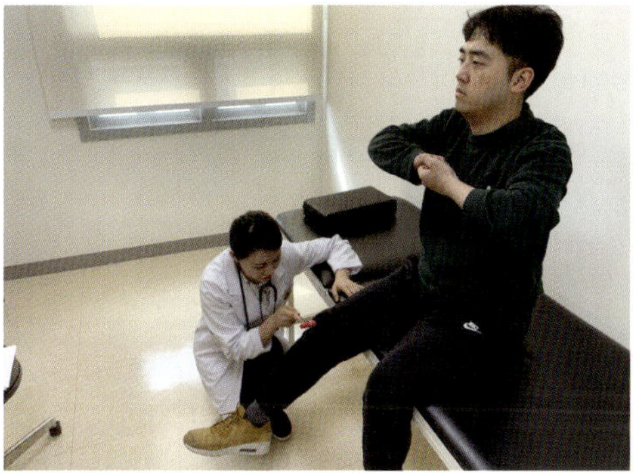

"정면을 바라봐주세요."

Tip Reflex가 나타나지 않을 경우, SP에게 양손 깍지를 하고 당겨보라고 한 뒤 다시 쳐 봅니다.

4) 하지직거상검사(SLR test), patrick test : 안 아픈 쪽부터 시행합니다.

(1) SLR test

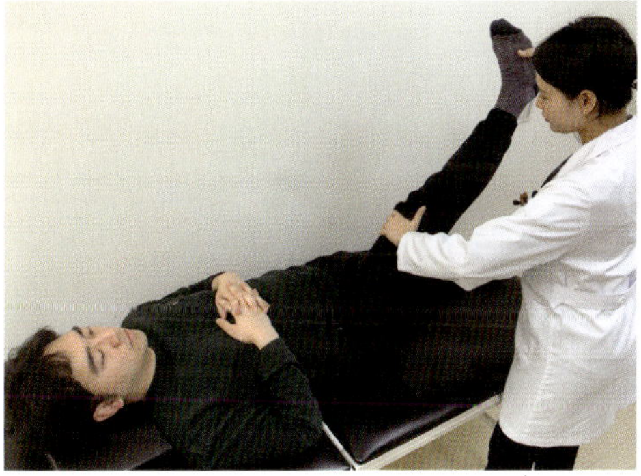

(2) Patrick test

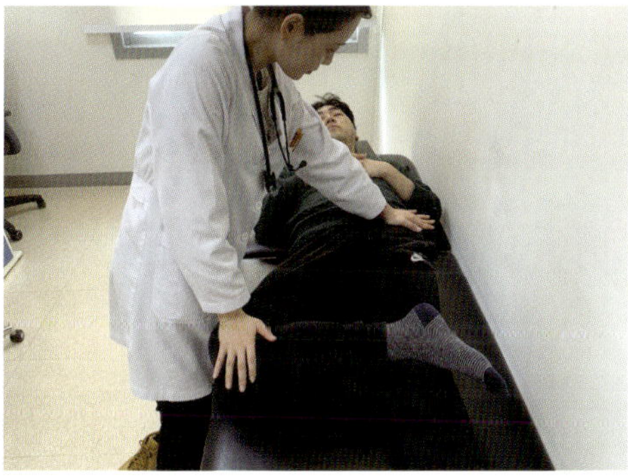

5) Gait

"문 앞으로 갔다가 제 쪽으로 똑바로 걸어보실까요?"

(1) 정형 part

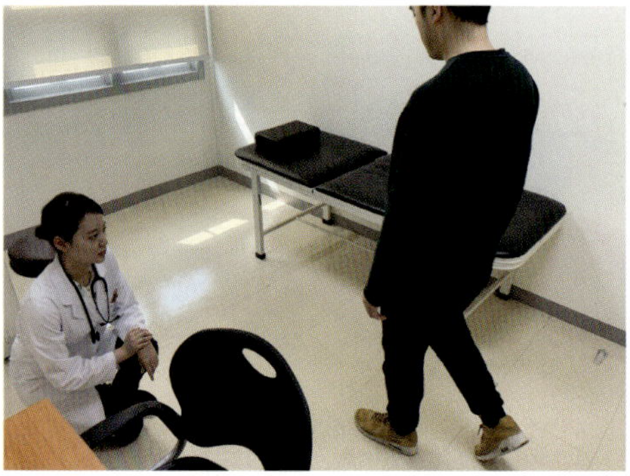

(2) 신경 part : SP 옆에서 동행하여 걷기

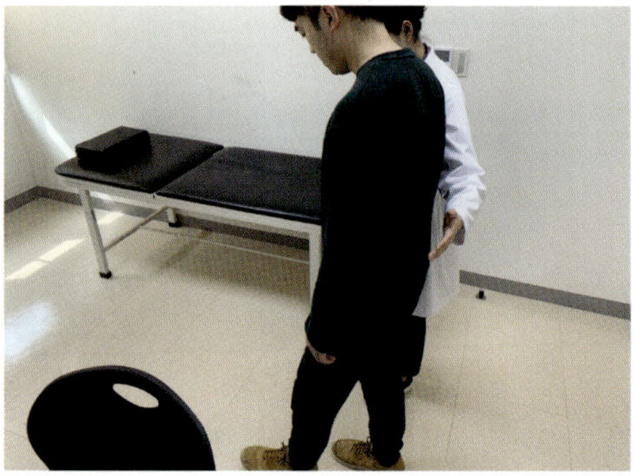

6) 팔다리 감각/근력

(1) 감각 검사 : SP를 침대에 걸터앉게 한 뒤 검사합니다. 팔과 다리의 내측/외측을 모두 검사해야 dermatome에 따른 감각신경을 제대로 평가할 수 있습니다.

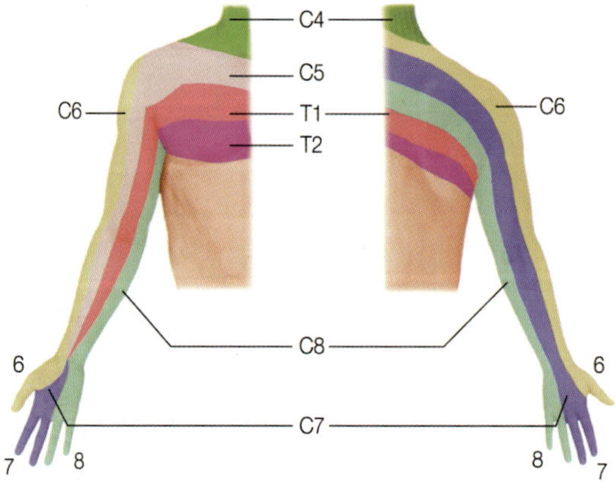

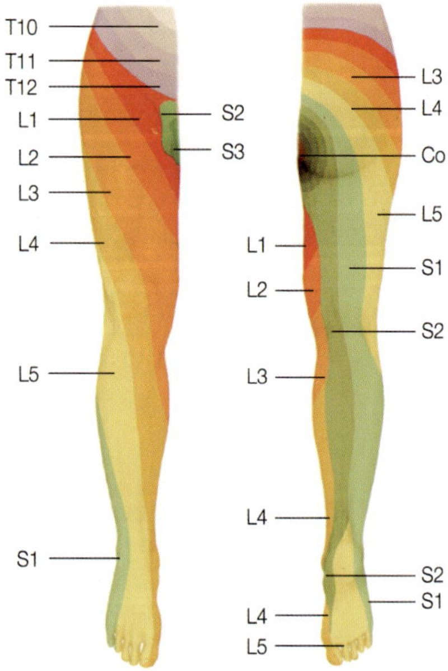

약식은 손가락으로, 정식은 면봉으로 합니다. 시간이 부족하기 때문에 약식으로 하는 경우가 많습니다.

"양 쪽이 비슷하게 잘 느껴지시나요?"

① 팔 촉각 : 검지/면봉을 이용

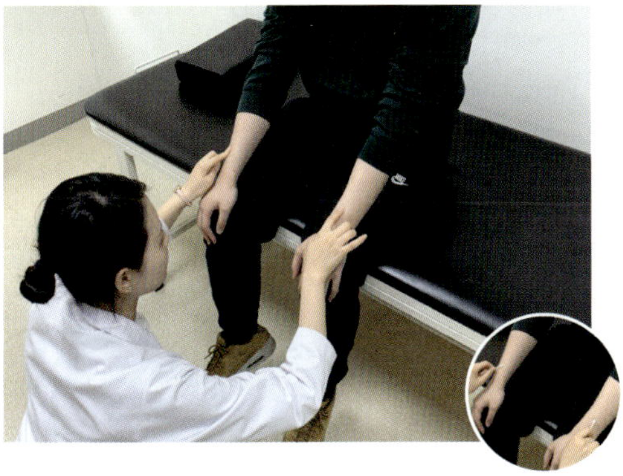

② 팔 통각 : 약지 손톱/면봉을 부러뜨려 시행

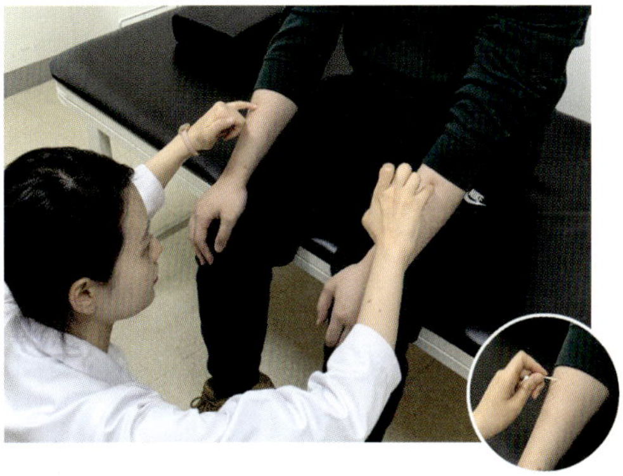

③ 다리 촉각

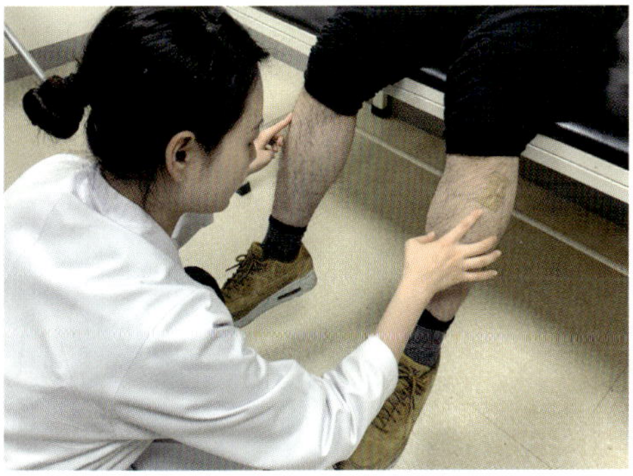

④ 다리 통각

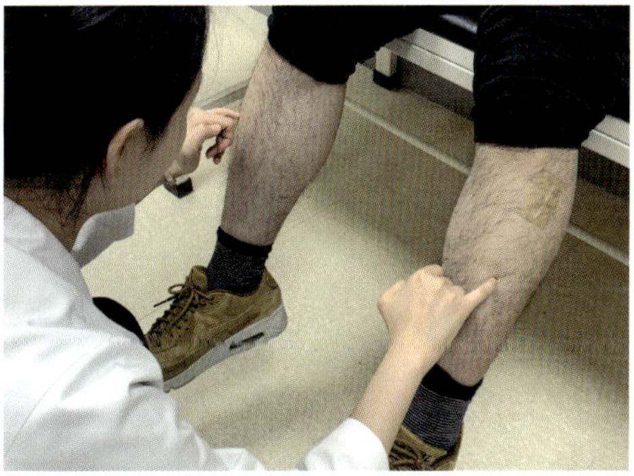

(2) 근력 검사

① 팔 근력

"당겨보세요."

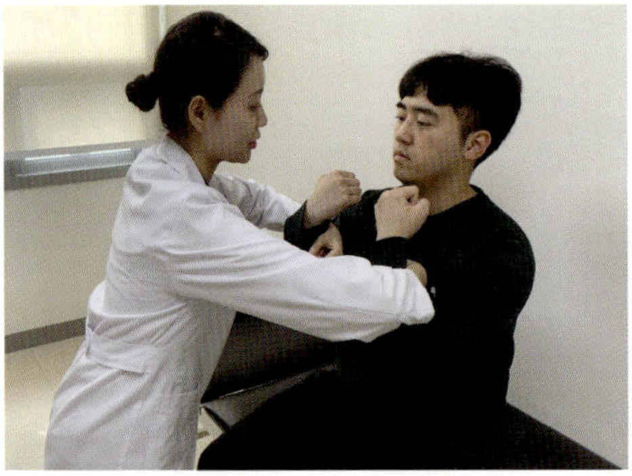

"밀어보세요."

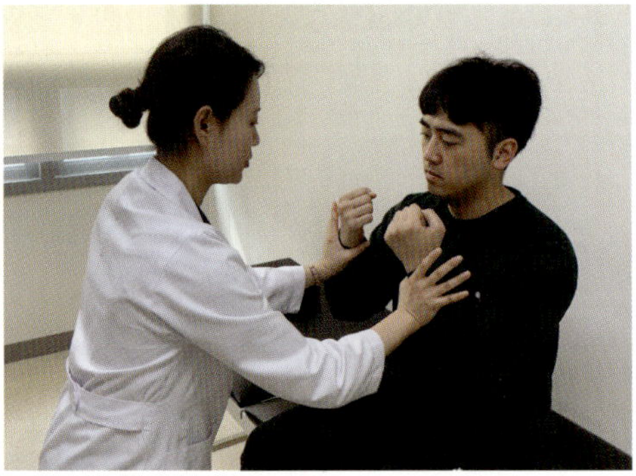

"제 손가락 꽉 쥐어보세요."

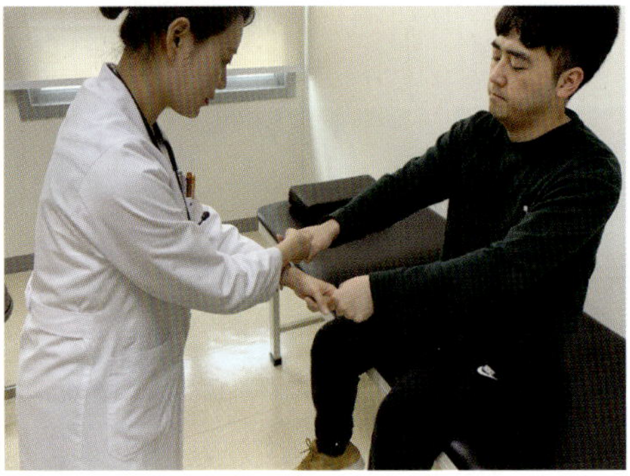

② 다리근력

"허벅지를 올려보세요."

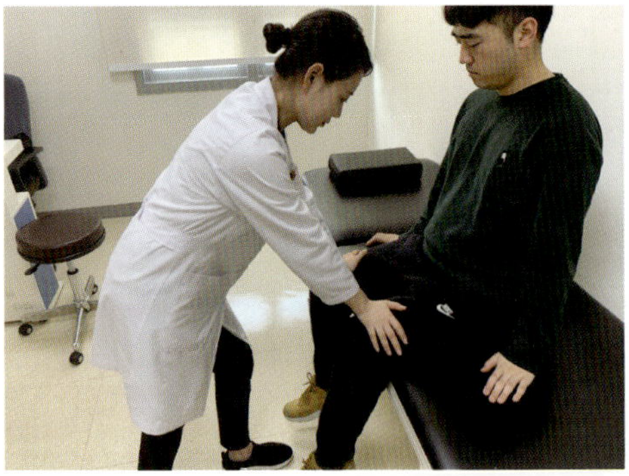

"다리를 오므려보세요."

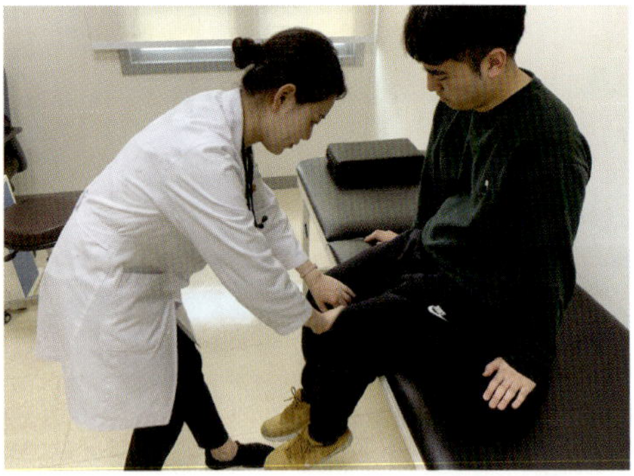

"다리를 벌려볼까요?"

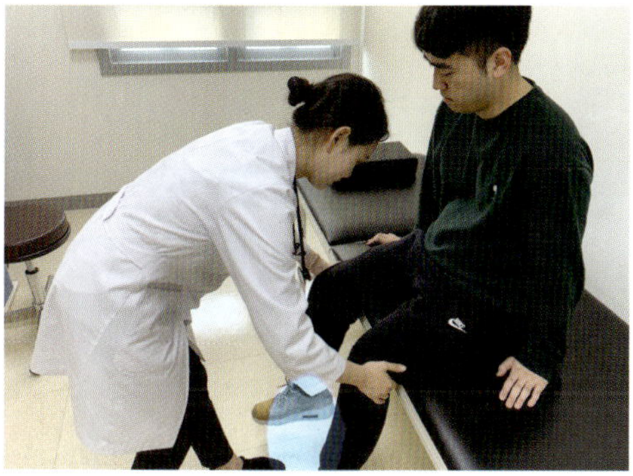

"정강이를 앞으로 차볼까요?"

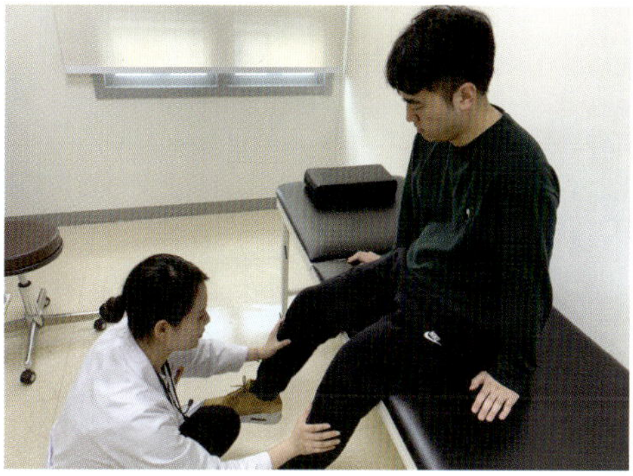

"이번에는 당겨보세요."

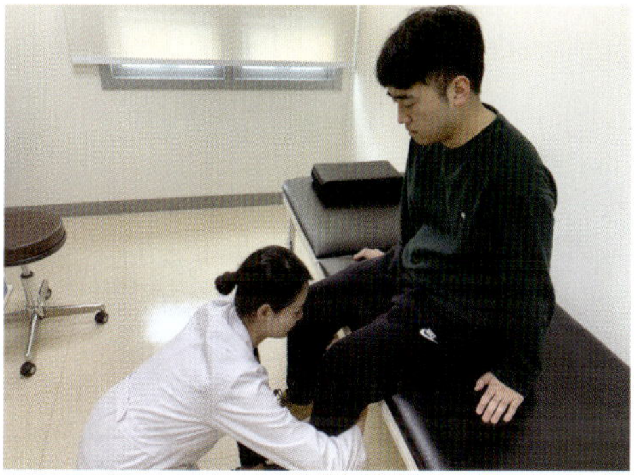

"발등 올려보세요." : 좌우 따로따로

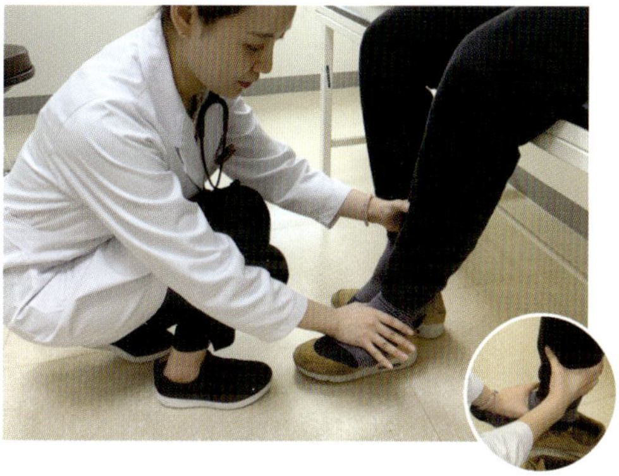

7) Modified Schober's test(강직성척추염)

양쪽 PSIS의 중간점에서 10cm 위에 줄자의 끝을 오른손으로 잡아 위치시키고, 15cm 아래를 왼손으로 가리키며 등을 굽히게 하였을 때 왼손이 가리켰던 위치가 얼마나 늘어나는 지 확인

(1) PSIS 촉지

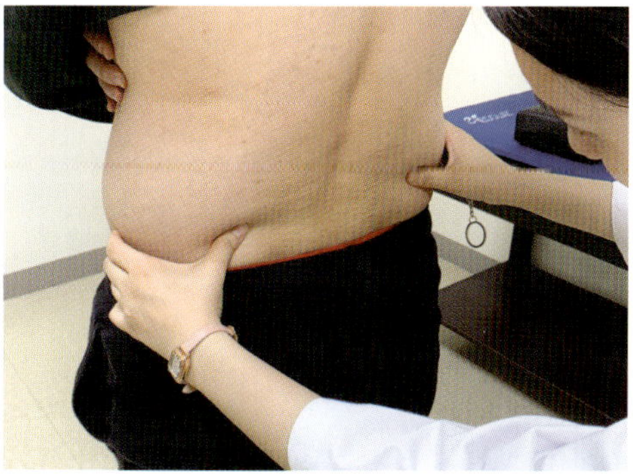

(2) PSIS 중간점 촉지

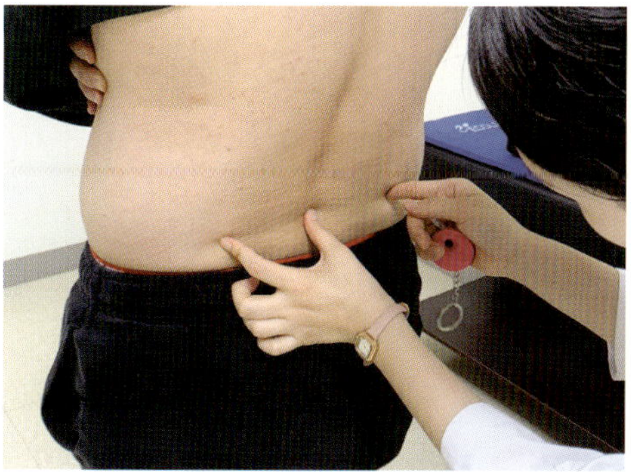

(3) 중간점에서 위로 10cm에 오른손 '고정'

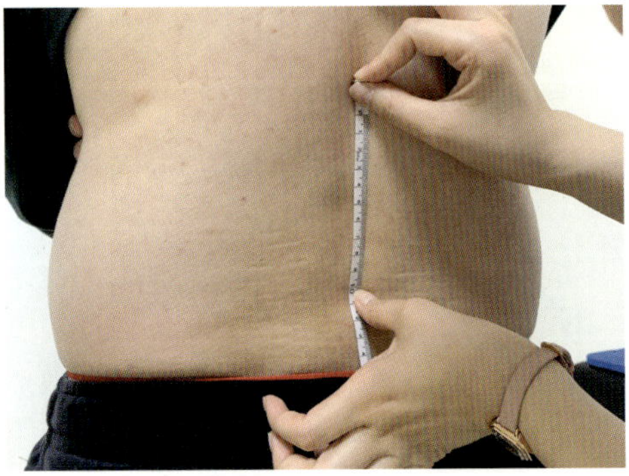

(4) 오른손에서 아래로 15cm에 왼손

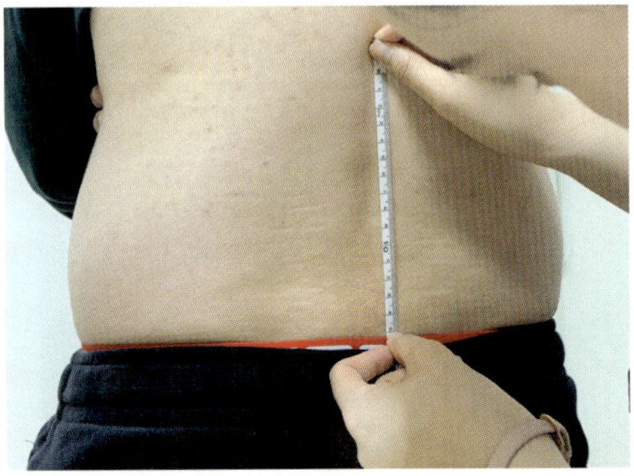

(5) 허리를 굽히게 하여 얼마나 늘어났는지 왼손으로 측정

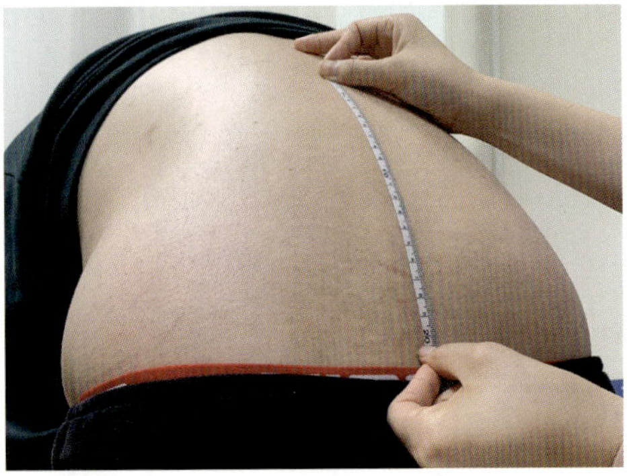

"무릎은 피고 허리를 앞으로 최대한 굽혀보세요."

Tip 줄자가 없다면 엄지와 검지로 뼘을 재서 시행할 수 있습니다.

8) Chest expansion(강직성척추염)

줄자가 있으면 chest exapnsion test도 시행합니다. 흡기와 호기의 흉곽 둘레 차이가 2.5cm 미만이면 positive

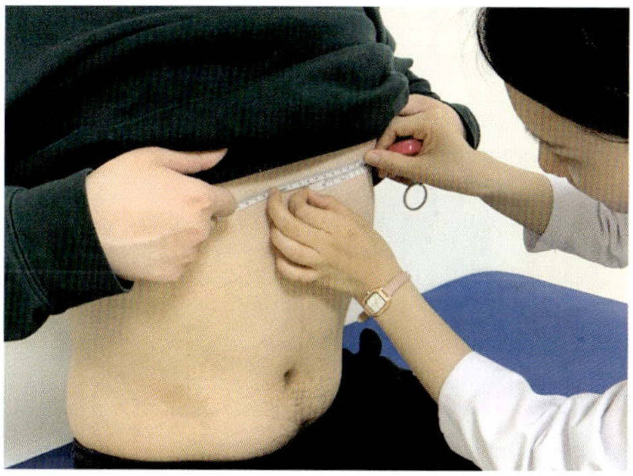

9) 척추측만증(Scoliosis, kyphosis, lordosis)

SP의 뒤/옆에서 선 자세를 평가

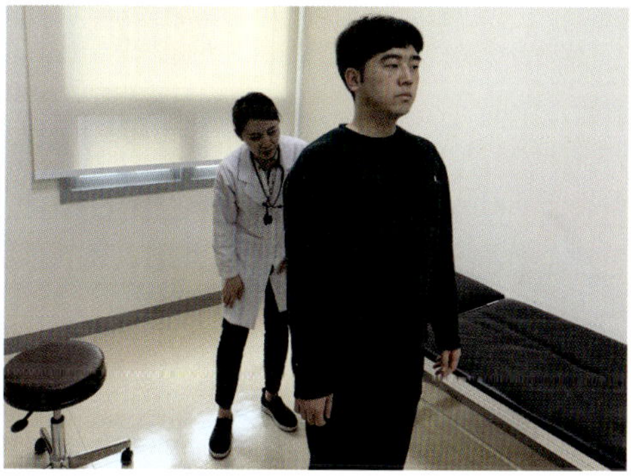

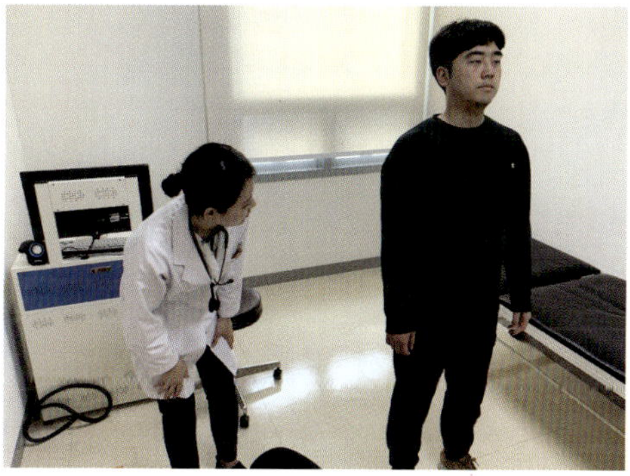

〈참고자료〉

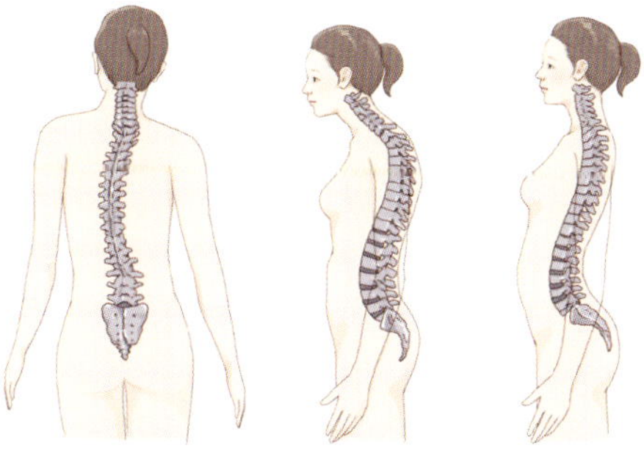

Scoliosis　Kyphosis　Lordosis

10) Spurling test, Lhermitte test

① Spurling test : 좌/우

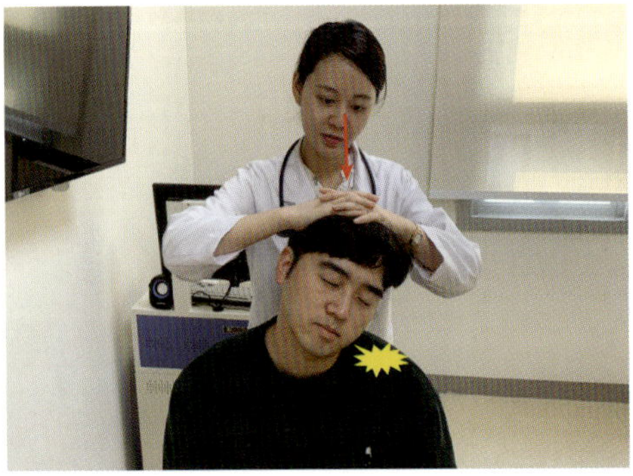

② Lhermitte test : "앞으로 고개를 숙여보세요."

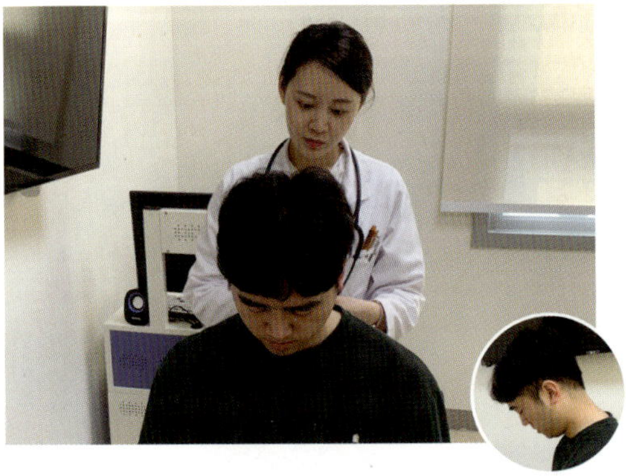

7 신경

1) 신경학적진찰(뇌신경+소뇌검사)

대망의 뇌신경 검사입니다. 침대에 걸터앉게 한 후 시작합니다. 중복되는 검사를 배제하고 최소 동선, 최소 시간으로 수행할 수 있도록 구성하였습니다. 연습하여 1분 20초 쯤에 끝낼 수 있게 합니다.

Tip 검사를 연속으로 줄지어 하기 때문에 중간중간 "잘 하셨습니다"하고 격려하는 것이 좋습니다.

순서는 다음과 같습니다.

① 일단 SP를 앉혀서 Light reflex를 가장 먼저 시작합니다. 그 뒤에 시야검사, 안구운동검사까지 한 뒤에 손가락을 이용하는 검사인 Finger to nose까지 시행합니다.

② 다음으로 general physical exam을 할 때처럼 위에서부터 내려오면 됩니다. 이마찡긋, 눈 찡긋 그리고 입으로 넘어오면 됩니다.

③ 다시 손가락으로 넘어옵니다. 얼굴촉각과 청각을 검사합니다.

④ 일어나기 전 검사로 손바닥을 이용한 어깨으쓱, 손바닥 뒤집기를 시행합니다.

⑤ 일으켰다면 이제 다 왔습니다. 롬버그, tandem gait를 시행합니다.

손가락을 이용한 4가지	찡긋 2가지	입 3가지	촉각/청각
빛반사, 시야, 안구운동, FTN	이마찡긋, 눈찡긋	이, 에, 볼빵빵	얼굴, 소리

어깨 으쓱	손바닥뒤집기

롬버그	Tandem gait

- CN I(Olfactory n.) : 평가 생략
- CN II(Optic n.) : 시야검사
- CN III(Oculomotor n.) : 안구운동검사
- CN IV(Trochlear n.) : 안구운동검사
- CN V(Trigeminal n.) : 얼굴촉각
- CN VI(Abducent n.) : 안구운동검사
- CN VII(Facial n.) : 이마찡긋, 눈찡긋, 이 해보세요, 볼빵빵
- CN VIII(Vestibulocochlear n.) : 청각
- CN IX(Glossopharyngeal n.) : 평가 생략
- CN X(Vagus n.) : 평가 생략
- CN XI(Accessary n.) : 어깨 으쓱
- CN XII(Hypoglossal n.) : 에 해보세요

(1) Light reflex

"고개는 정면을 바라봐주시구요, 눈이 조금 부실 수 있어요."

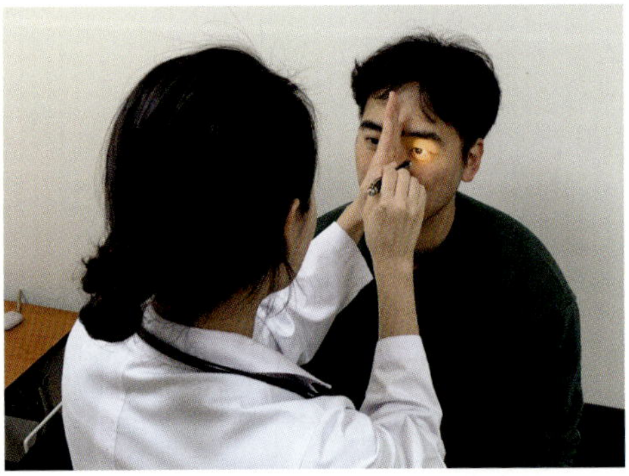

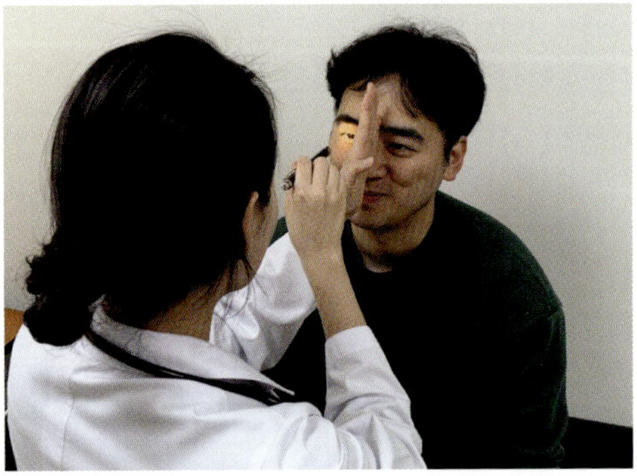

(2) 시야검사 : 무릎을 살짝 굽혀 SP와 눈 높이를 맞춘 상태에서, 손가락은 학생의사와 SP의 거리를 1/2로 나눈 선에서 움직이며, 안쪽에서 바깥쪽으로 이동합니다.

"계속 정면을 봐주시고, 제 손가락 끝이 안 보이면 말씀해주세요."

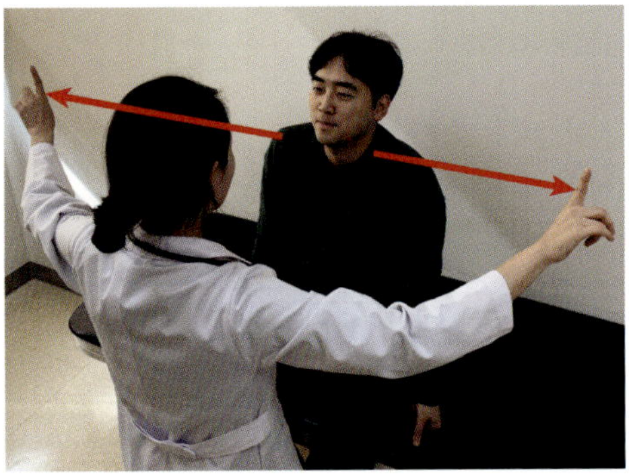

(3) 안구운동검사 : 최소 4군데

"이번에는 턱끝을 고정해주시고 눈동자를 굴려 제 손가락 끝을 바라봐주세요."

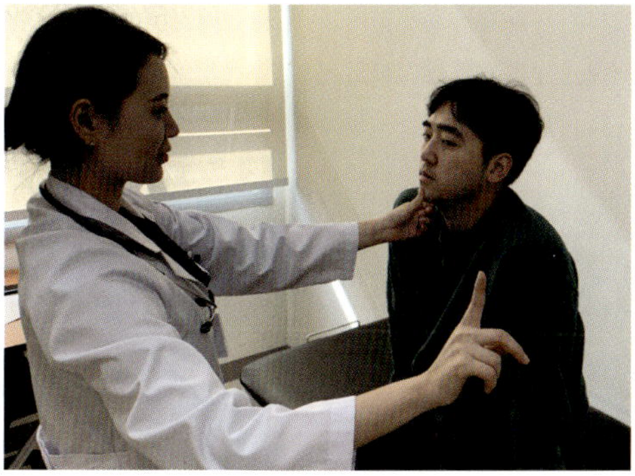

Tip SP가 고개를 돌려 손가락을 바라볼 수 있기 때문에 한 손으로 턱 끝을 고정시켜주는 것이 좋습니다.

(4) Finger to nose test : 최소 4군데, Finger to nose와 Heel to shin 둘 중에 한 가지만 하면 됩니다. 본 책에서는 Finger to nose test만 수행합니다.

"잘하셨습니다. 이번에는 환자분 코 끝과 제 손가락 끝을 이렇게 왔다갔다 해볼까요?"

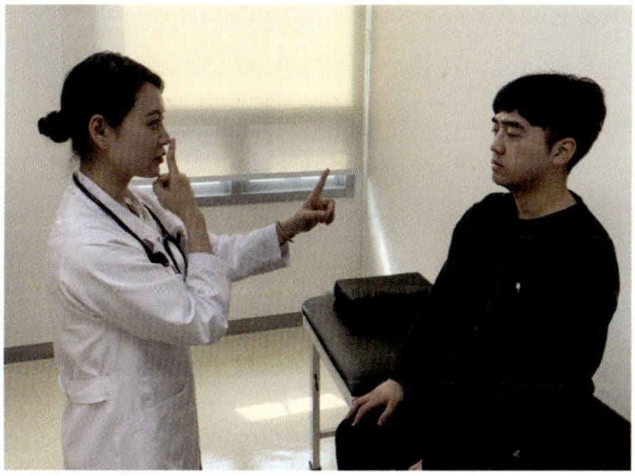

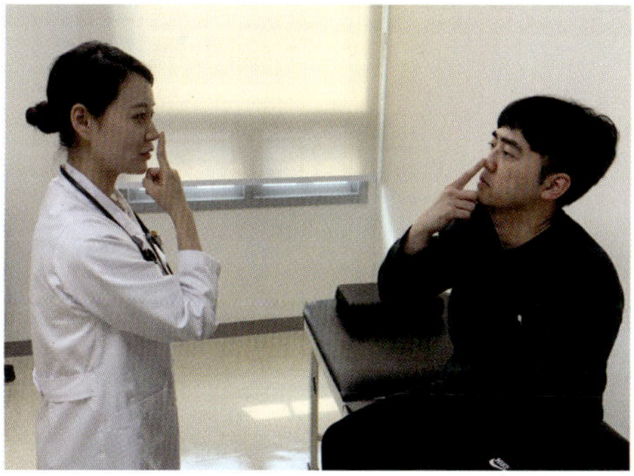

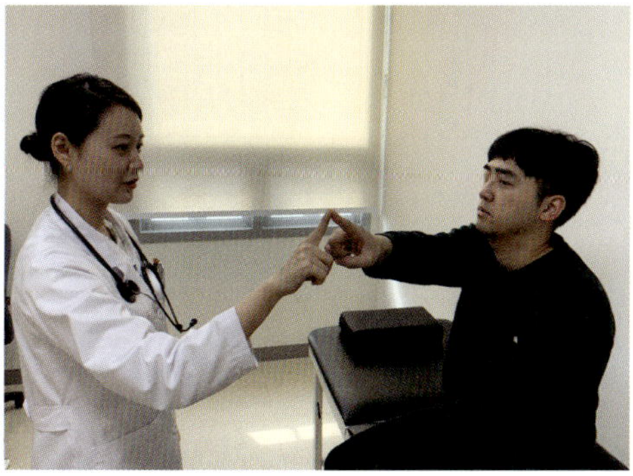

Tip Finger to nose 검사는 말로만 설명하면 SP가 잘 수행하지 못 할 수 있으므로 자신의 코와 손가락을 이용해 미리 시범을 보여주는 것이 좋습니다.

(5) 이마 찡긋/눈 찡긋

"이마를 저처럼 찡긋해보실까요?"

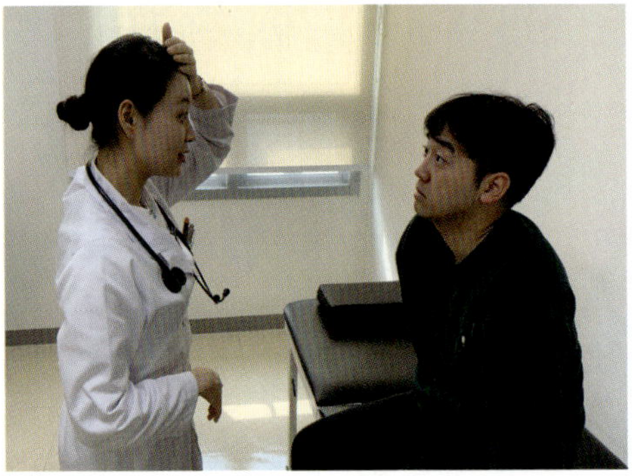

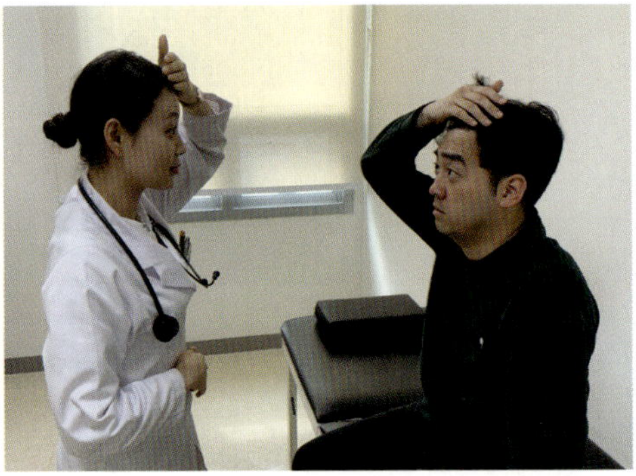

Tip SP의 앞머리가 이마를 가리고 있는 경우가 많으므로, 시범을 보일 때 머리카락을 올려서 찡긋을 해야 합니다. 아니면 SP의 앞머리를 직접 들어올려 줄 수도 있습니다.

"눈 한 번 찡긋해볼까요?"

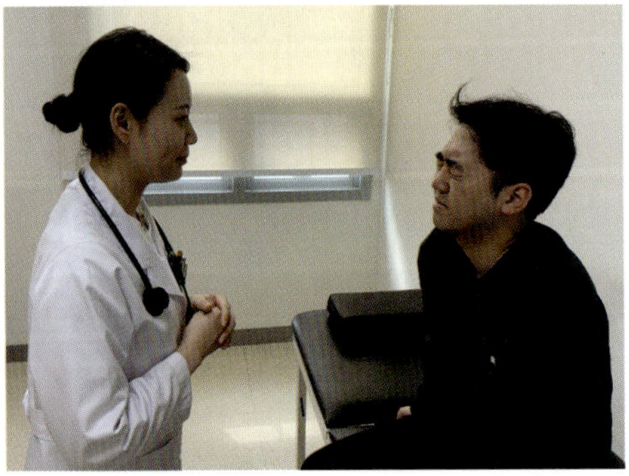

(6) 웃음/혓바닥 편위/볼빵빵

"크게 이 해보세요."

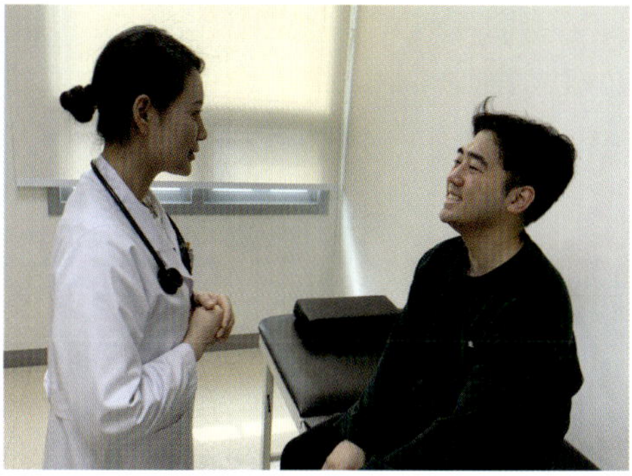

"에 해보세요."

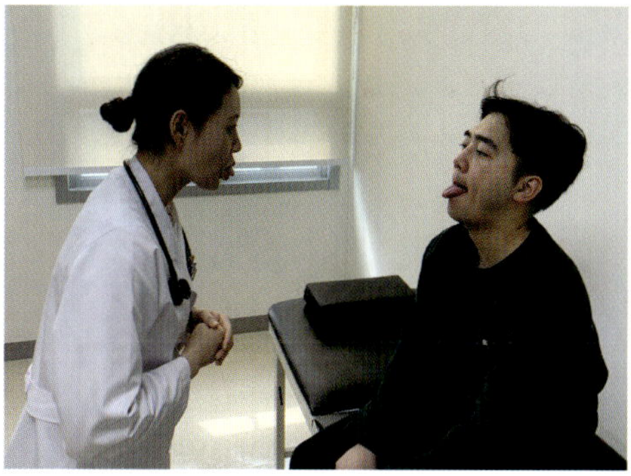

"볼에 바람을 넣어보세요."

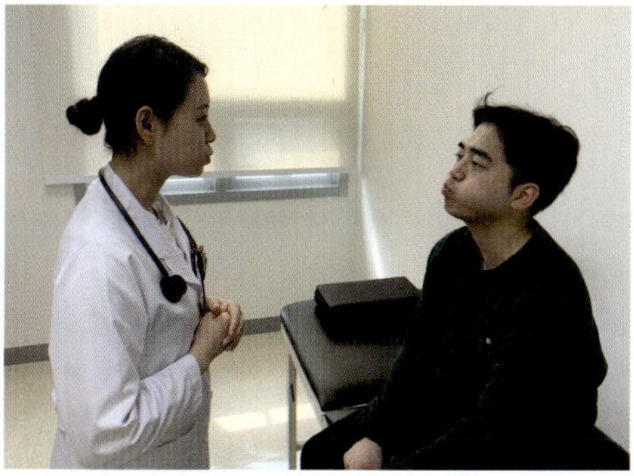

(7) 얼굴촉각 : 3군데

"자 이번에는, 제가 얼굴에 손을 대서 감각을 확인해볼건데 양쪽이 비슷한지 말씀해주세요."

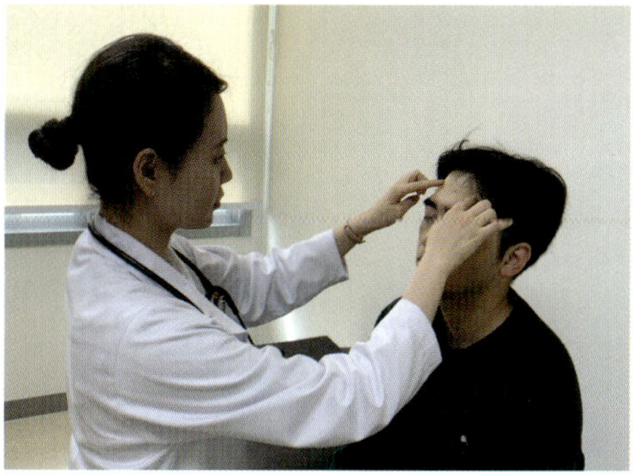

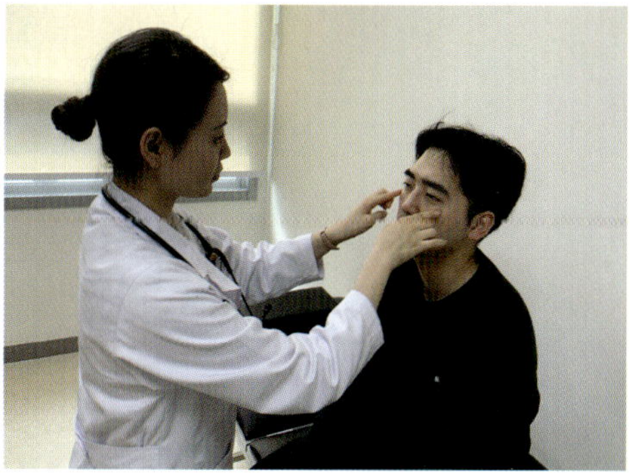

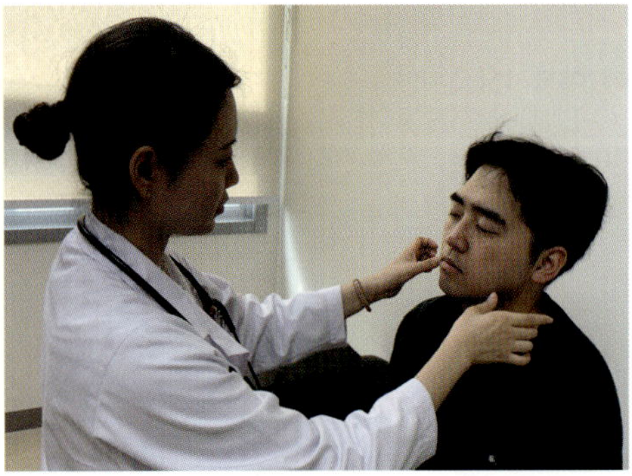

Tip 손이 얼굴로 가는 검사에서는 항상 동의를 구하면서 자신의 몸에 시범을 보이는 것이 좋습니다. 검지 대신 면봉을 사용하거나 크리넥스를 반으로 찢어서 할 수 있으나 시간이 오래 걸리는 큰 단점이 있습니다.

〈참고 자료〉

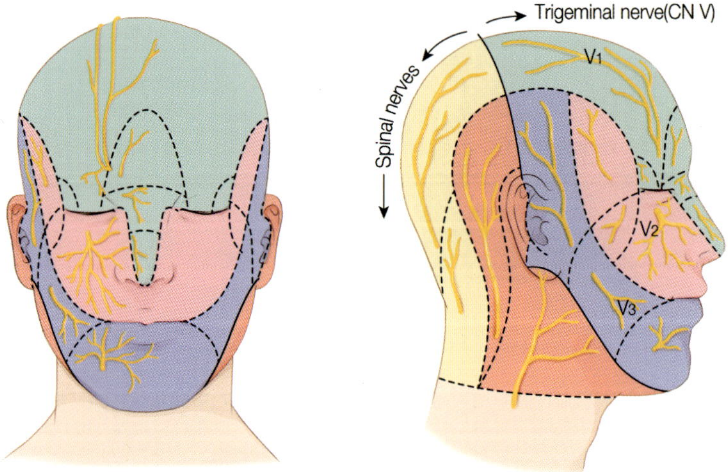

(8) 청각검사 : Weber/Rinne test는 양쪽으로 나눠서 시행하기 때문에 시간이 너무 많이 걸리기 때문에 '어지럼증' 증례 외에는 손가락을 이용하여 약식으로 진행하는 것을 추천합니다.

① 약식 : "눈 감아보세요. 양쪽 소리가 비슷하게 들리시나요?"

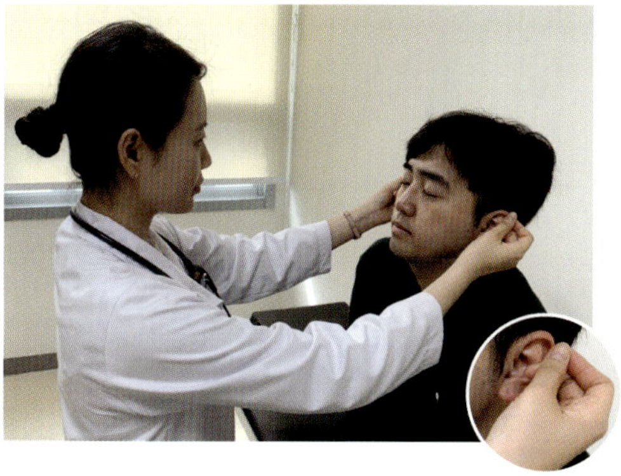

② Weber test : 소리굽쇠를 진동시킨 뒤, 손잡이 끝을 정수리 한 가운데에 위치시킵니다.

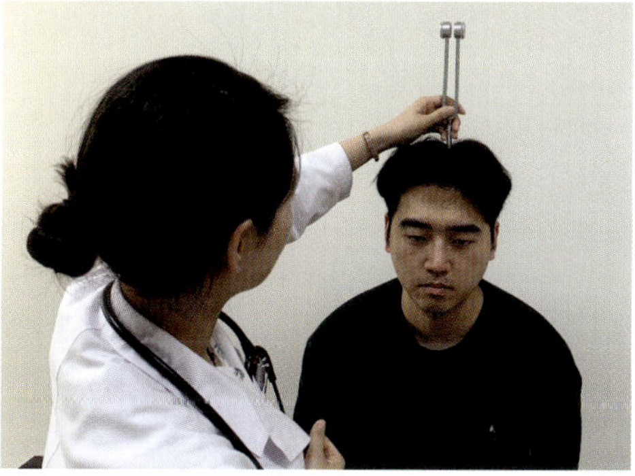

"양쪽 소리가 비슷하게 들리세요?"

③ Rinne test : 소리굽쇠를 진동시킨 뒤, 손잡이 끝을 귀 뒤 유양돌기에 대었다가, SP가 소리가 더 이상 들리지 않는다고 하면 굽쇠 쪽을 귀에 갖다대어 소리가 들리는지 물어봅니다(좌/우 시행).

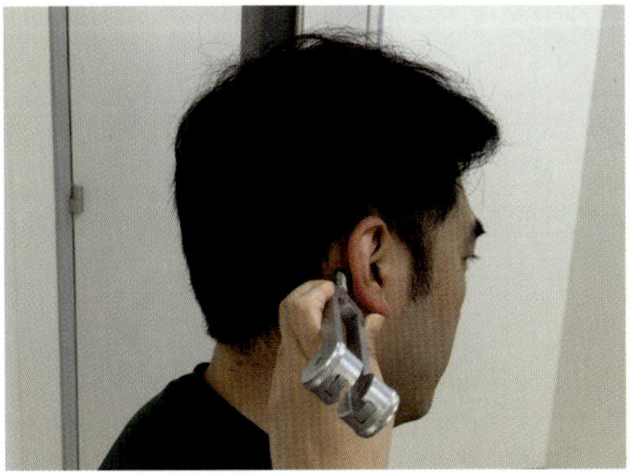

"소리가 안 들리시면 말씀해주세요."

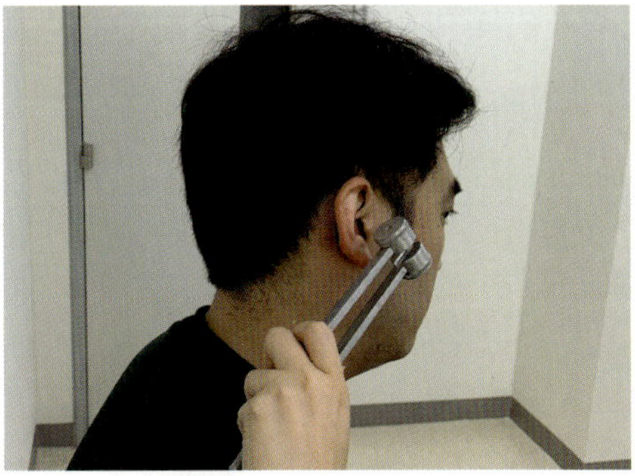

"지금은 들리나요?"

(9) 어깨 으쓱

"어깨를 위로 으쓱해볼까요?"

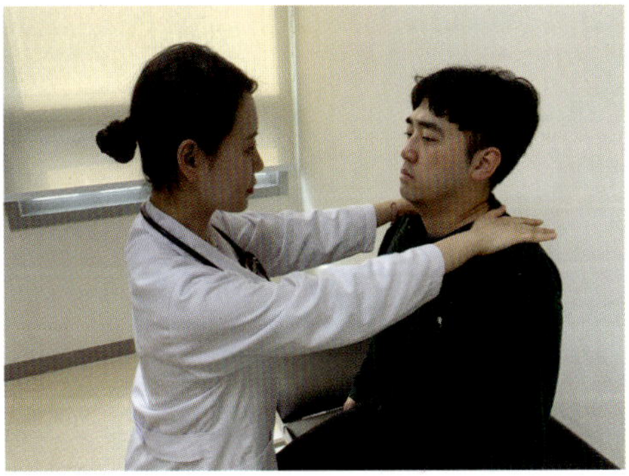

(10) 손바닥 뒤집기

"이렇게 손바닥을 최대한 빠르게 뒤집어 볼까요?"

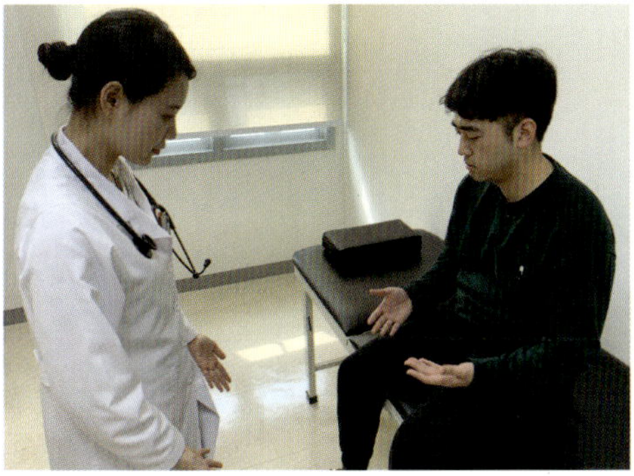

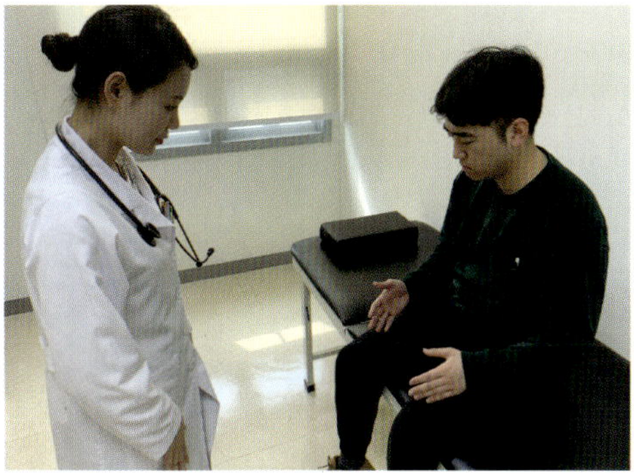

(11) Rhomberg test

"이제 일어나보실까요? 똑바로 서주시고 제가 보조해드릴테니 눈을 감고 가만히 서 계셔보세요."

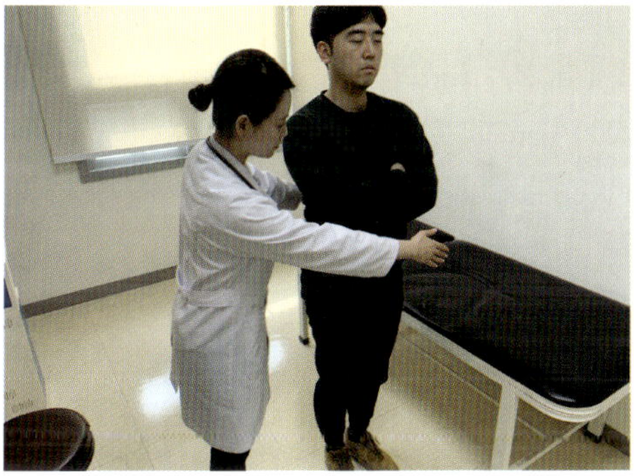

(12) Tandem gait

"잘 하셨습니다. 이제 저처럼 한번 걸어보실까요? 발가락 끝과 뒤꿈치를 붙여서 걸어주세요."

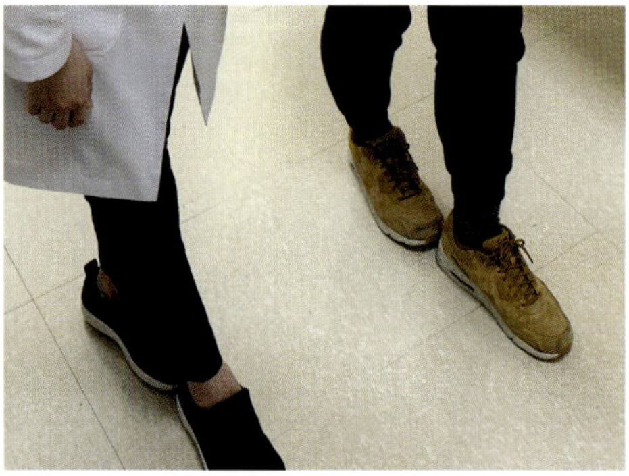
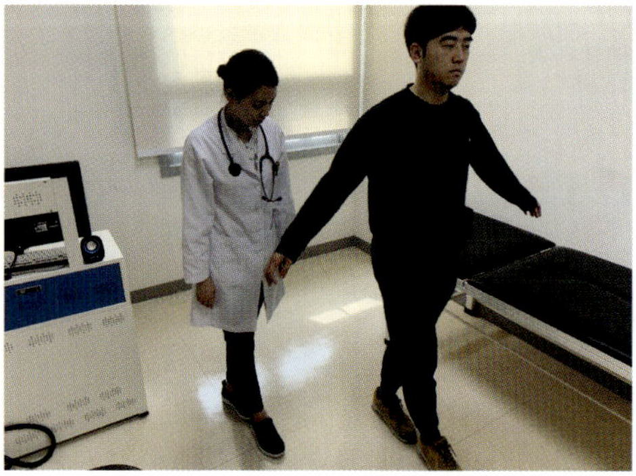

Tip 넘어질 수 있으므로 팔을 벌려 보조해줄 수 있습니다.

2) 수막자극검사(Neck stiffness, Brudzinski-Kernig test)

뇌수막염이 의심될 때 수막자극징후를 보기 위한 검사로 신경 part의 두통, 경련, 팔다리근력약화, 의식장애, 전신 part의 발열, 순환기 part의 실신, 소화기 part의 구토에서 시행합니다.

(1) Brudzinski test

"목에 힘을 빼주세요. 아프진 않으세요?"

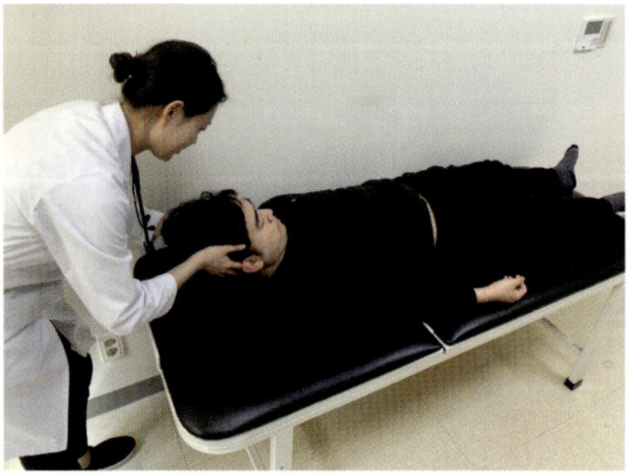

무릎이 굽혀지면 Brudzinski(+)입니다.

(2) Kernig test

"다리에 힘을 빼주세요."

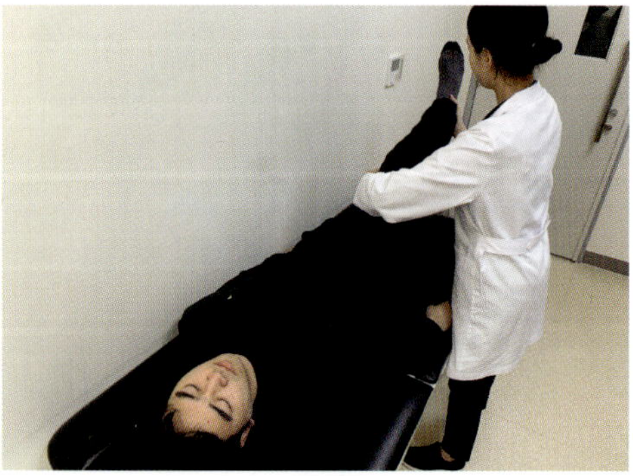

아파하면 Kernig(+)입니다.

Tip Brudzinski 검사와 neck stiffness(경부강직이 있는지 보는 검사)는 엄밀히는 다른 검사이지만, 동시에 수행할 수 있습니다. Neck stiffness(+)이지만 Brudzinski(−)일 수 있습니다.

3) K-MMSE

대상자 성명 : 　　　　　　검사자 성명 : 　　　　　　사정날짜 :

K-MMSE(Korean Vision of Mini-Mental Stage Exam)			
항목		내용	점수
지남력(시간) ⑤	년 ①		
	월 ①		
	일 ①		
	요일 ①		
	계절 ①		
지남력(장소) ⑤	나라 ①		
	무엇하는 곳 ①		
	현재 장소명 ①		
기억 등록 ③	몇 층 ①		
	연필 ①		
	소나무 ①		
주의집중 및 계산 ⑤	100－7 ①		
	－7 ①		
	－7 ①		
	－7 ①		
	－7 ①		
기억회상 ③	비행기 ①		
	연필 ①		
	소니무 ①		
언어 및 시공간 구성 ⑨	이름대기 ②		
	명령시행 ③		
	따라말하기 ①		
	오각형 ①		
	읽기 ①		
	쓰기 ①		
총 점	/30		

• 이름대기 : 시계, 볼펜
• 명령시행 : “종이를 뒤집고(1), 반으로 접은 다음(1), 저에게 주세요(1)”
• 따라 말하기 : 백문이 불여일견

(1) 시간지남력 : 년/월/일/요일/계절

"올해가 몇 년도죠? 몇월이죠? 며칠이죠? 무슨 요일이죠? 계절은요?"

(2) 장소지남력 : 나라/시, 도/무엇하는곳/장소명/층

"여기 나라이름이 뭐죠? 무슨 시죠? 무엇을 하는 곳이죠? 이 건물의 이름이 뭐죠? 몇층이죠?"

(3) 기억등록 : 비행기/연필/소나무

"저를 따라 말해보세요. '비행기, 연필, 소나무', 조금 있다 다시 물어볼거니 기억하고 있으세요."

(4) 주의집중력 : 100－7

"100에서 7을 빼면 몇이에요? 거기서 또 7을 빼면요? 또 빼면요?..." 총 5번

(5) 기억회상

"아까 저랑 같이 말했던 단어들 다시 말해보세요."

(6) 이름대기 : 종이, 볼펜

(7) 명령실행 : "종이를 뒤집고 반으로 접은 다음 저에게 주세요."

Tip 다 하기에는 시간이 너무 많이 걸리므로 대개 지시문에 어디까지 하라고 적혀 있습니다. 보통은 '기억회상'까지는 해야 합니다.

4) Head impulse, Dix-hallpike test(어지러움)

두부충동검사(head impulse test)와 Dix-hallpike 검사는 실제 시험장 안내지에는 시행하지 말 것으로 안내되어 있습니다. Youtube 동영상을 보면 정말 무지막지하게 돌리는 검사이기 때문에 SP 입장에서 시험장에서 하루 종일 검사를 받다보면 없던 어지러움도 생길 수 있습니다. 그 대신 DRE, pelvic exam처럼 검사에 대한 안내를 설명하면 SP가 카드를 꺼내주는 식으로 진행됩니다. "이석이 있는 지 상체를 젖혀서 어지럼증을 유발해보는 검사를 해보고자 합니…(카드 꺼냄)" "전정신경에 문제가 있는지 고개를 돌려보는 검사를…(카드 꺼냄)"

※ 설명했음에도 카드를 안꺼내면 손을 대어 하려는 액션을 취해야 합니다.

(1) Head impulse test(전정신경염)

"제가 고개를 확 돌려보겠습니다. 제 눈을 봐주세요. 긴장하지 마시고 눈을 계속 떠주세요."

① 정상(음성) : 머리를 돌리더라도 vestibulo-ocular reflex가 일어나 visual fixation이 유지됨

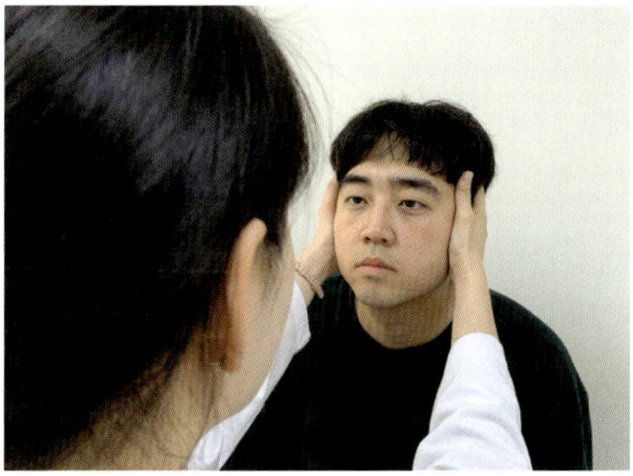

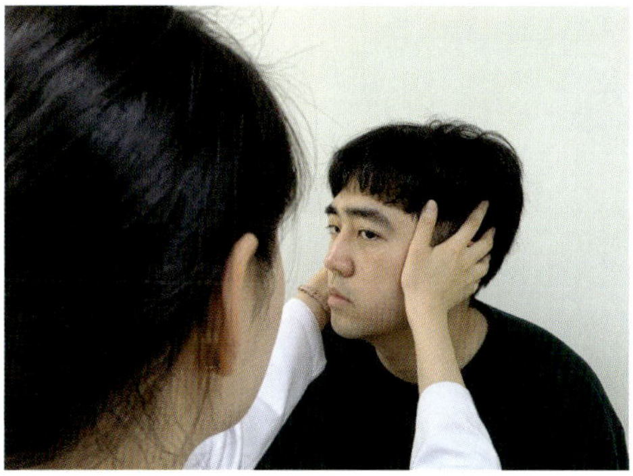

② 양성 : 머리를 돌린 방향으로 안구가 함께 돌아 갔다가 다시 SD를 향해 단속운동이 일어남

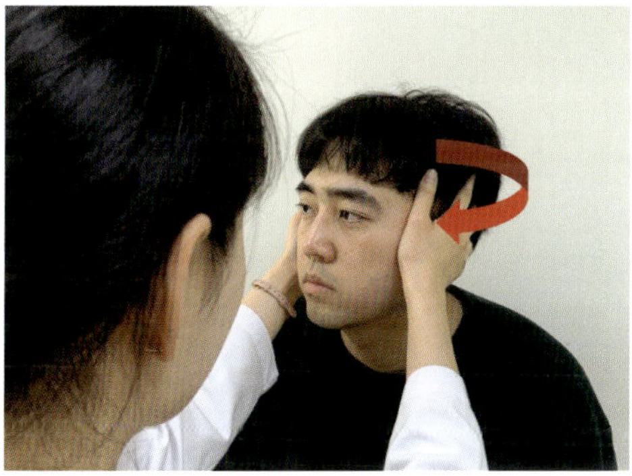

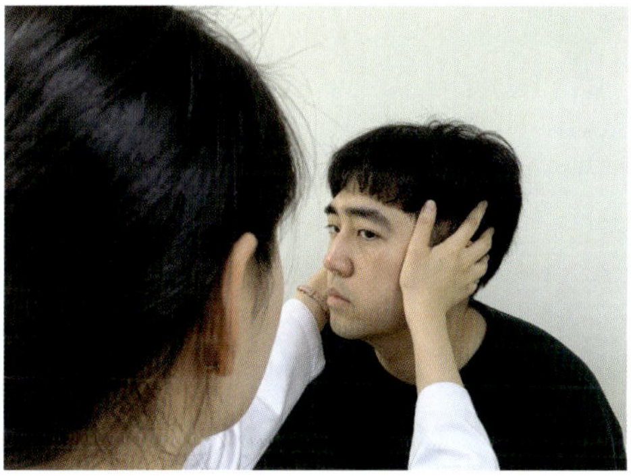

(2) Dix-hallpike – BPPV

"증상이 있는 쪽으로 고개를 45도 돌려주세요. 하나 둘 셋 하면 제가 상체를 뒤로 확 눕히겠습니다. 눈은 계속 뜨고 있어주세요. 어지러울 수 있어요."

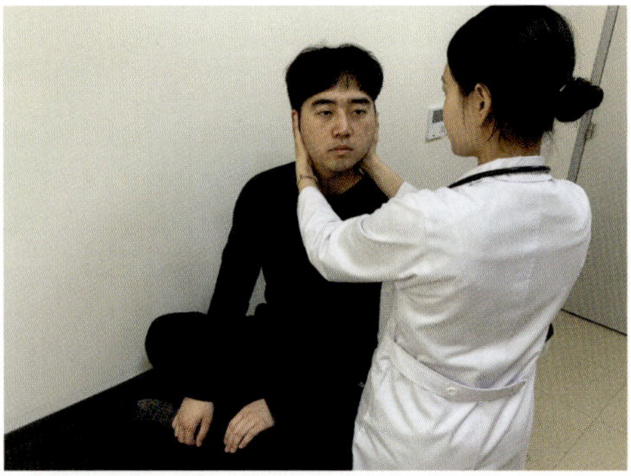

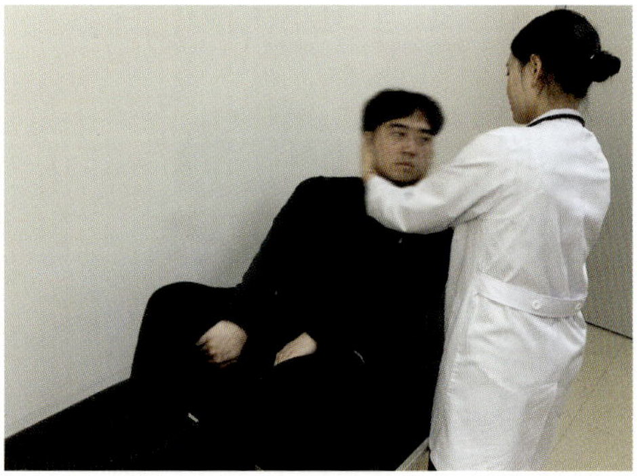

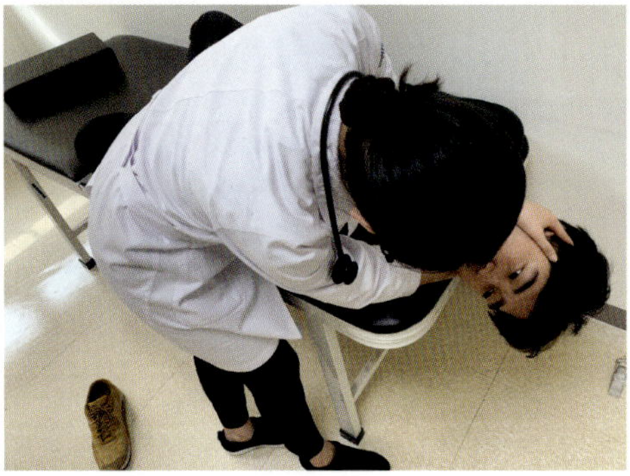

5) Phalen test, Tinnel test(손목터널증후군)

(1) Phalen test

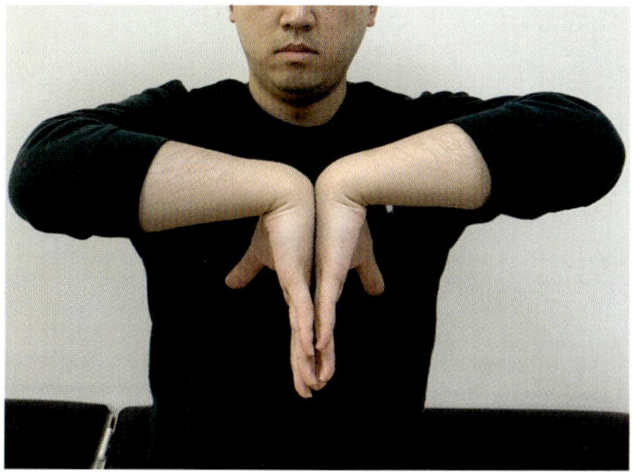

(2) Tinnel test

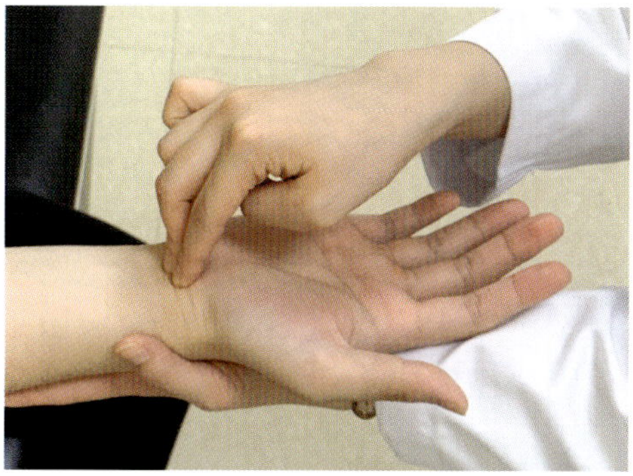

망치나 손가락으로 손바닥과 손목의 경계를 두들겨 median nerve를 자극합니다.

Tip Phalen test는 제대로 하려면 1분이나 소모되기 때문에, 10초만 하던지 생략하고 Tinnel test만 시행하도록 합시다. "집에 가셔서 (Phalen's test 자세를 취하고) 이렇게 1분간 하고 있을 때 통증이 생기나 한 번 해주시고 다음 진료 때 말씀해주세요."

6) Finkelstein test(드퀘르벵 증후군, 손목건초염)

"엄지를 넣어 주먹을 쥐어주세요. 제가 손목을 천천히 굽혀보겠습니다. 통증이 발생하면 말씀해 주세요."

7) 의식장애 시 시행해야할 검사

(1) ABC, 두부외상, 입안 냄새, light reflex, doll's eye reflex 평가

① 목을 젖혀 airway를 확보하고

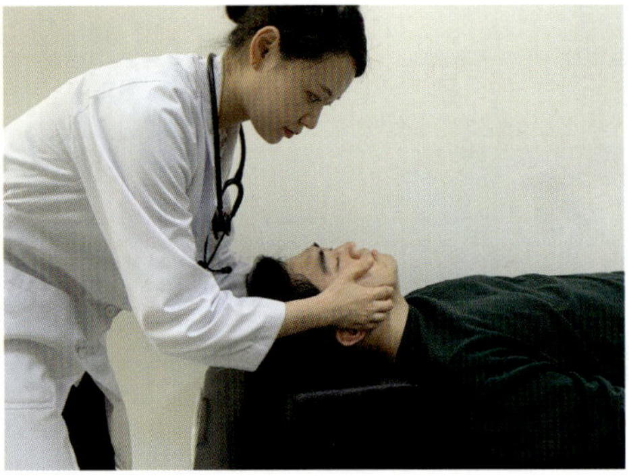

"기도를 확보하겠습니다."

② 맥박과 호흡을 확인합니다.

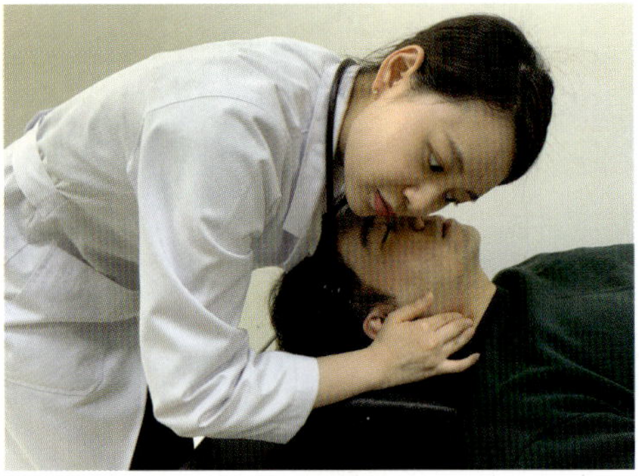

"호흡과 맥박은 정상입니다."

③ 두부외상 여부를 시진하고

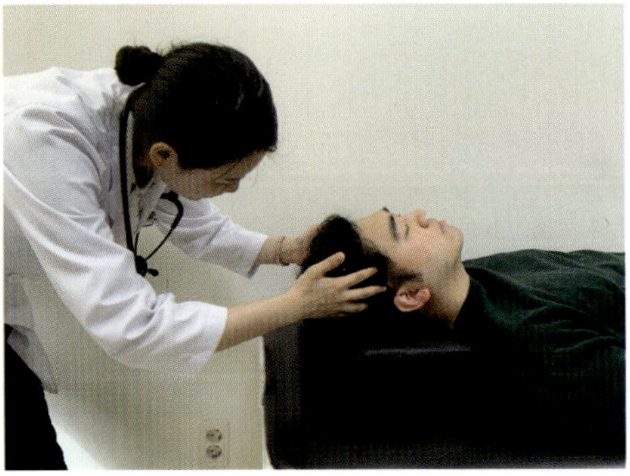

"머리에 다친 흔적은 없네요."

④ 손을 저어 입 안 냄새를 확인합니다.

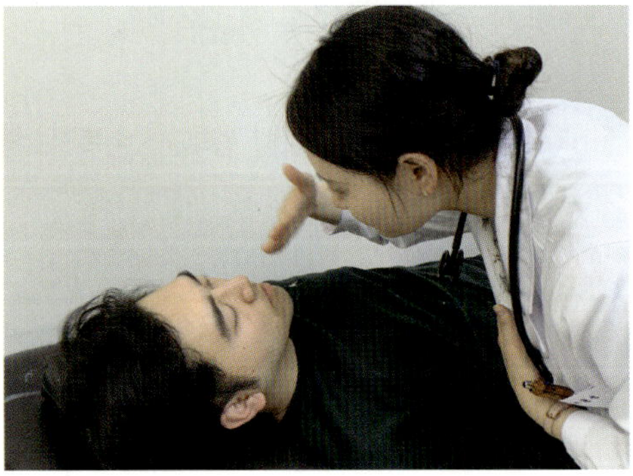

"특별한 냄새가 나지는 않네요."

⑤ Light reflex

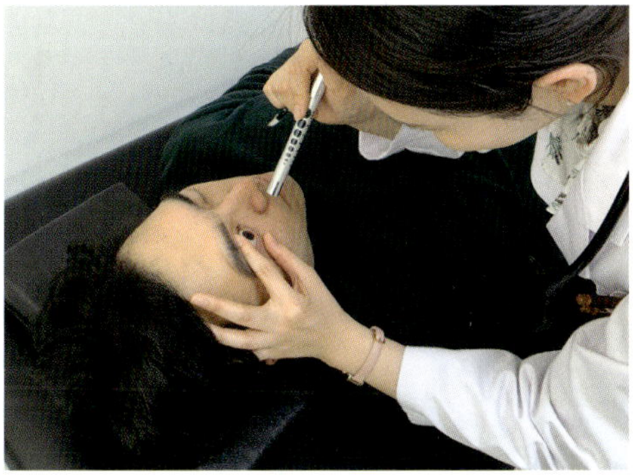

⑥ Doll's eye reflex(생략 가능)

정상의 경우 고개를 돌려도 눈동자가 천장을 바라봅니다.

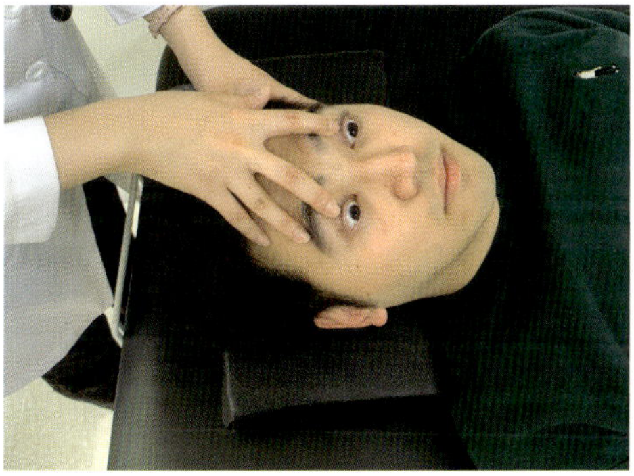

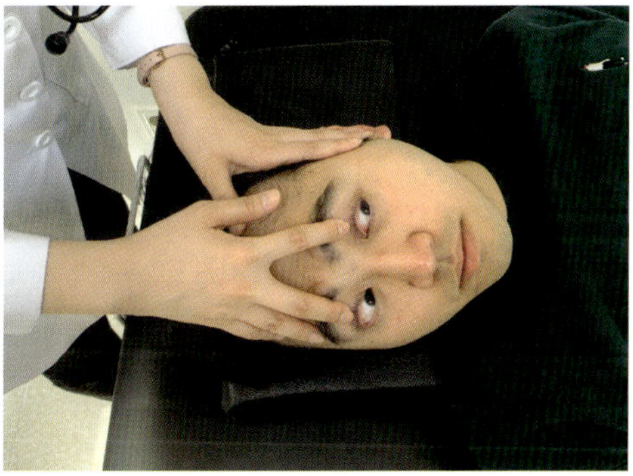

비정상은 눈동자가 고개를 돌린 방향으로 같이 움직입니다.

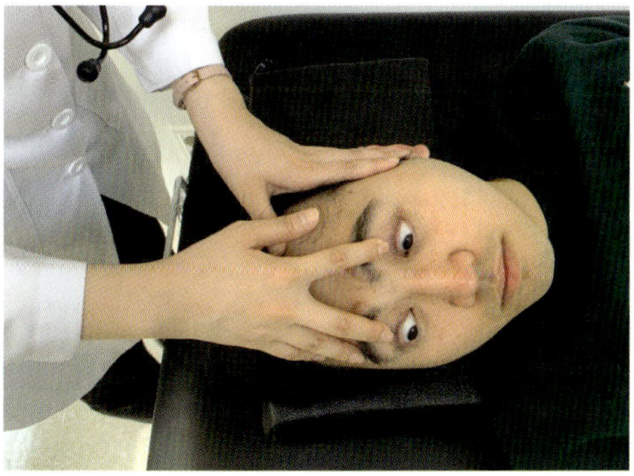

(2) GCS(Glasgow Coma Scale) : Eyes, Verbal, Motor 세 가지를 평가합니다.

Feature	Response	Score
Best eye response	Open spontaneously	4
	Open to verbal command	3
	Open to pain	2
	No eye opening	1
Best verbal response	Orientated	5
	Confused	4
	Inappropriate words	3
	Incomprehensible sounds	2
	No verbal response	1
Best motor response	Obeys commands	6
	Localising pain	5
	Withdrawal from pain	4
	Flexion to pain	3
	Extersion to pain	2
	No motor response	1

① Eyes

- 명령에 의해 눈을 뜨면 3점 → "(큰 소리로) 환자분! 눈 떠보세요!"
- 통증을 가했을 때 눈을 뜨면 2점 → Sternum을 긁으며 "눈 떠보세요!"

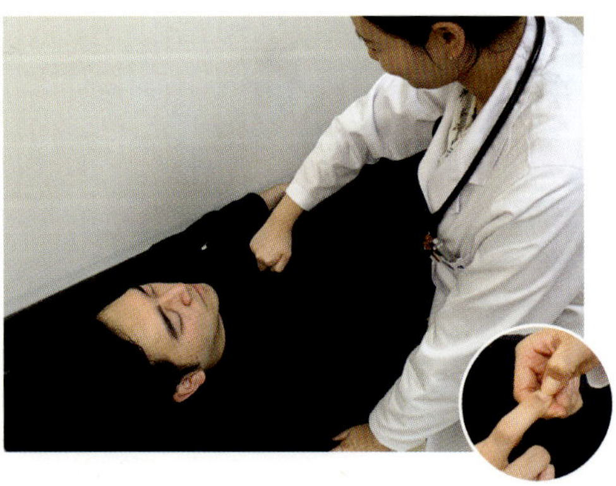

Tip Sternum을 세게 긁으면 SP가 매우 아플 수 있기 때문에 하는 시늉만 해도 됩니다. 여자 SP일 경우 sternum 대신 손톱을 눌러서 자극할 수 있습니다.

② Verbal : "성함이 어떻게 되세요? 여기가 어디죠? 뭐하는 곳이죠?"

③ Motor : "다리 한 번 들어보세요." → "(윗가슴 비틀어꼬집기) 다리 들어보세요."

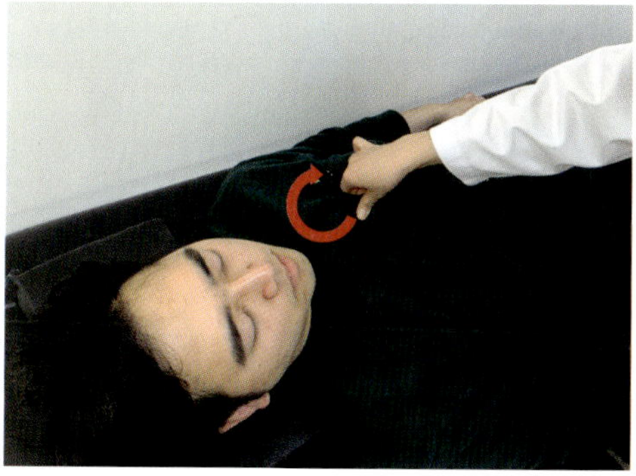

Tip GCS motor를 평가하는 김에 근력도 평가합니다. 손은 이마 위에, 발은 복부진찰 때처럼 굽혀놓고 "버텨보세요."하고 살짝 떨어뜨려봅니다. 너무 높게 들면 의식장애 SP가 아프겠죠?

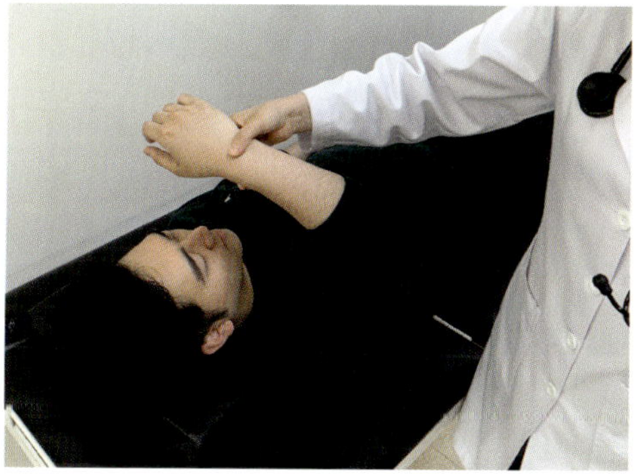

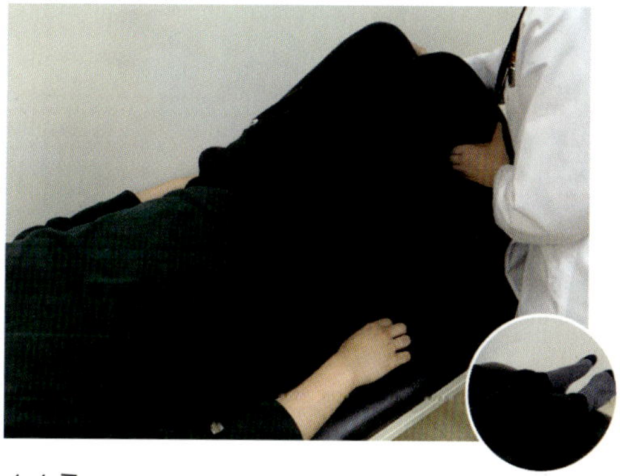

스스륵…

(3) 병적반사(Babinski's sign, Hoffmann's sign, ankle clonus)

① Babinski' Sign(plantar reflex) : 망치의 손잡이 아래 부분으로 화살표 방향으로 발바닥을 긁어줍니다.

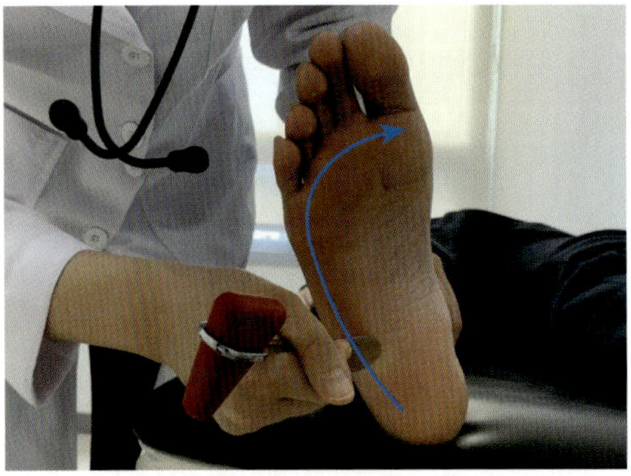

• 정상 : 발가락이 발등 쪽으로 펴짐

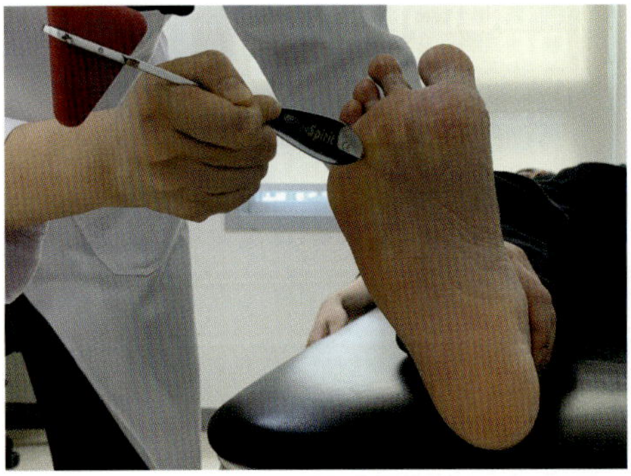

• 비정상 : 발가락이 발바닥 쪽으로 오그라듬

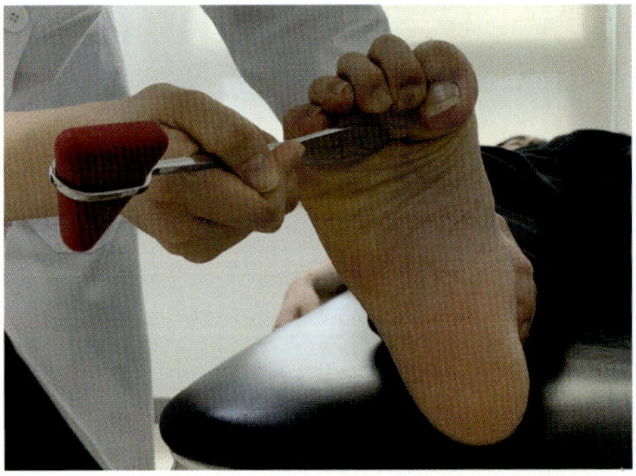

② Hoffmann's sign : 왼손으로 SP의 중지 DIP joint를 잡고 오른손으로 SP의 중지의 손 끝을 아래로 튕겨 SP의 엄지와 검지가 움직이는지 관찰합니다.

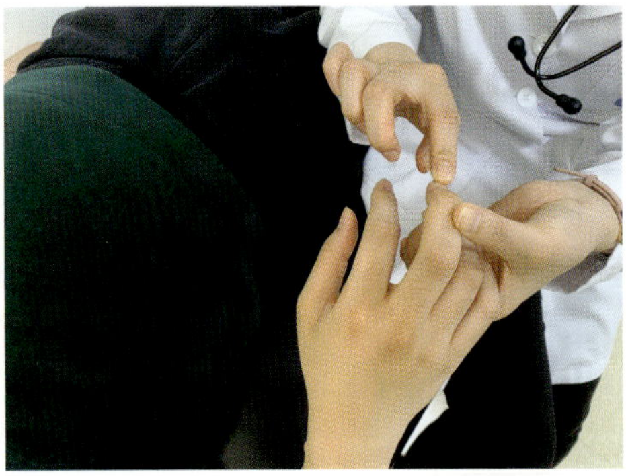

③ Ankle clonus : 한 손으로 무릎 뒤를 가볍게 들어올리고 다른 손으로 발바닥을 발등 쪽으로 훅 하고 당깁니다.

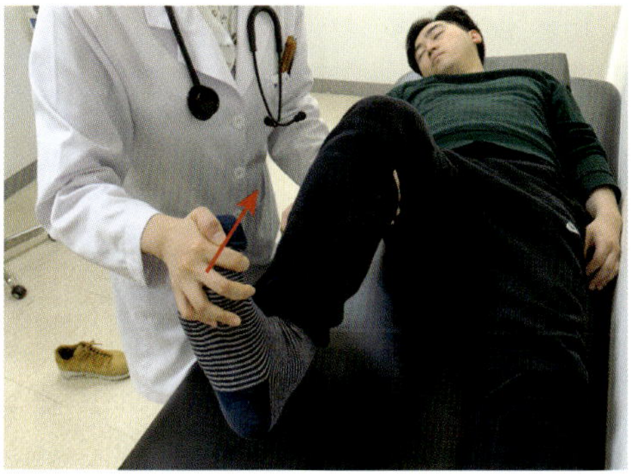

(4) DTR : Quadriceps(Patellar reflex, L3, L4)

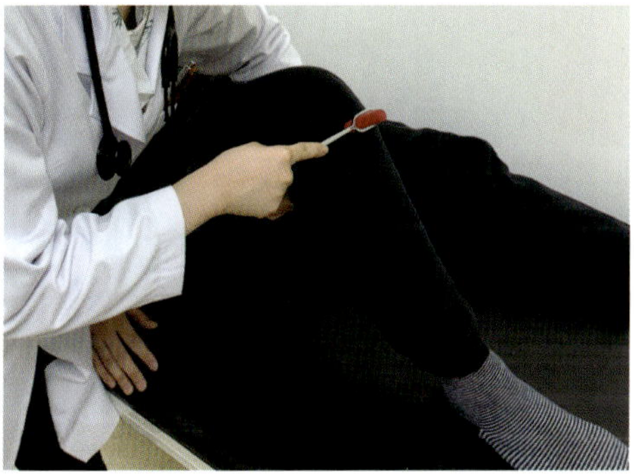

8) 손 떨림

(1) 안정 떨림(resting tremor)

① "양 손을 무릎 위에 올려보세요."

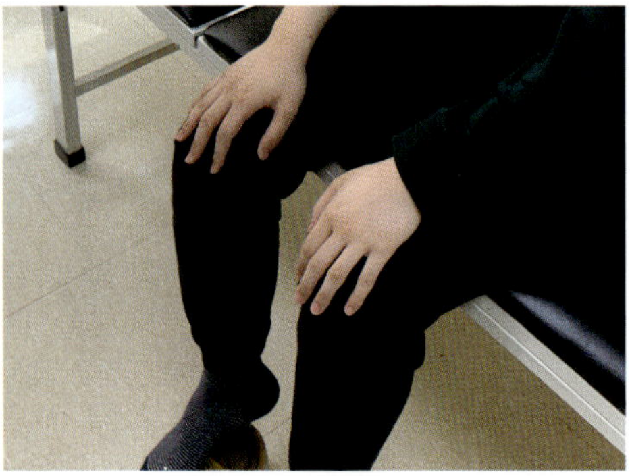

② "눈을 감아보세요."

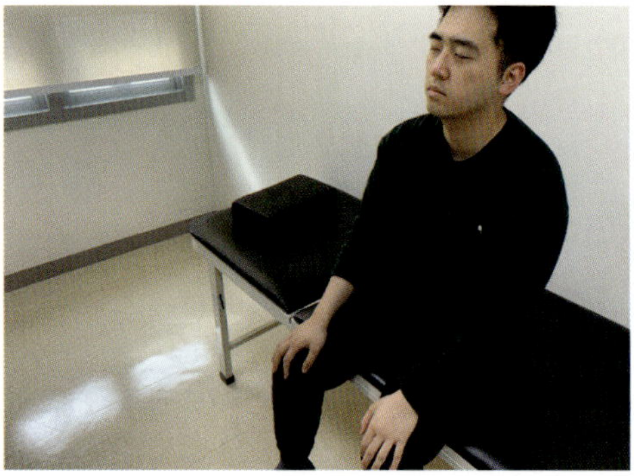

③ "다시 눈 뜨시고 1~10까지 세어보세요."

Tip 시간이 없다면 ①만 수행합니다.

(2) 자세 떨림(postural tremor)

① "양 팔을 앞으로 뻗어보세요."

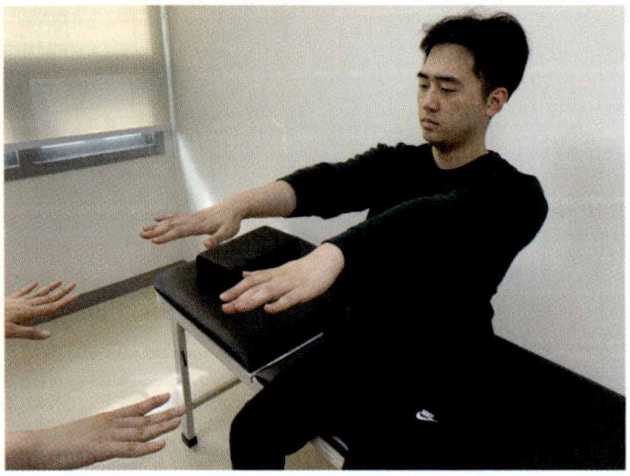

② "이렇게 해보세요."

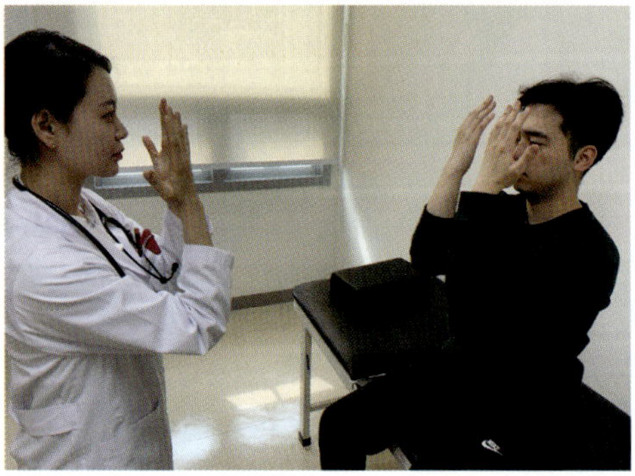

Tip 마찬가지로 시간이 없다면 ①만 수행합니다.

(3) 운동떨림(kinetics tremor)

"펜으로 이름을 써보세요." or "원을 그려보세요."

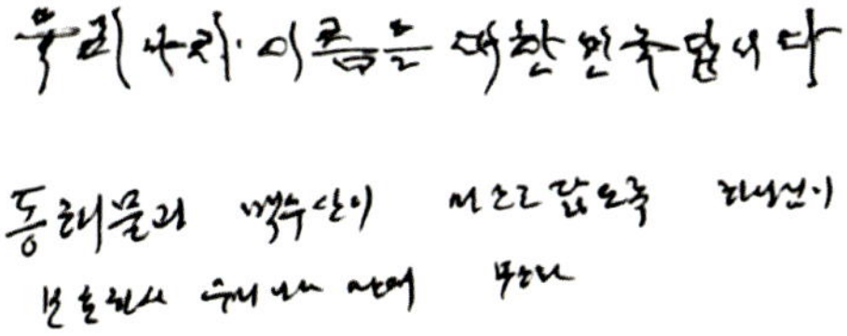

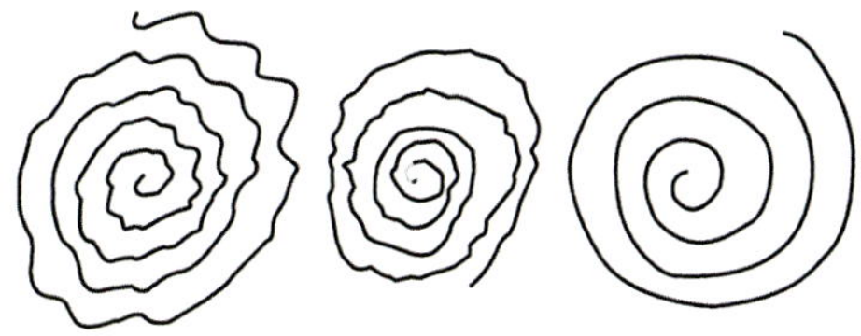

Tip 이름 쓰기가 더 시간이 짧게 걸리므로 이름 쓰기를 시키는 게 좋습니다.

약식 : "손을 뻗어 앞에 있는 연필을 잡아보세요."

Ref. 정선주. 손떨림의 진단과 치료. J Korean Med Assoc 2012 Oct; 55(10):987-995.

8 비뇨/여성

1) CVAT(갈비척추각 압통)

침대에 걸터 앉게 한 후 등 가쪽에 손바닥을 대고 다른 손을 주먹쥐어 내리 칩니다. 2회씩 양쪽 모두 시행합니다.

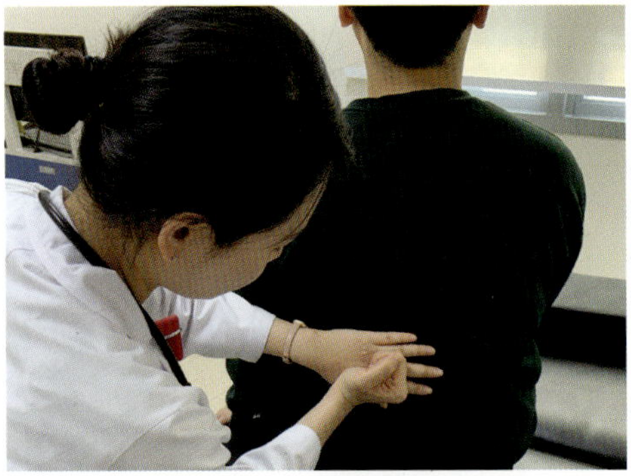
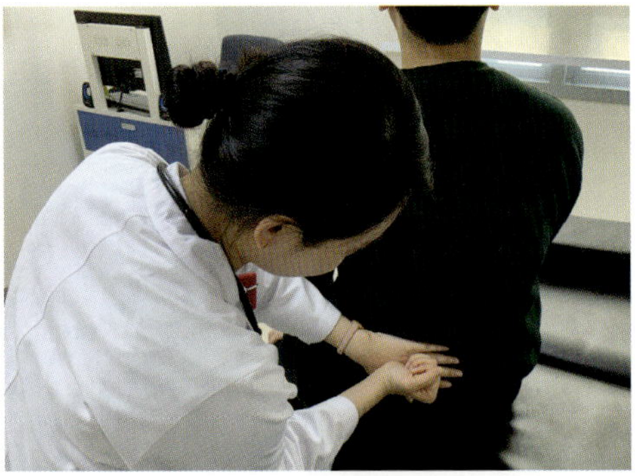
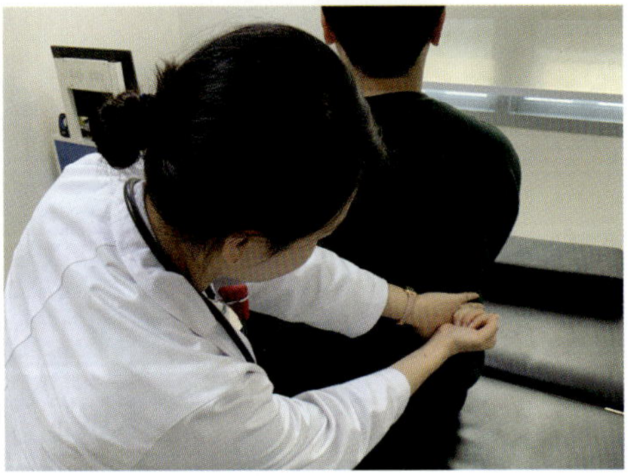
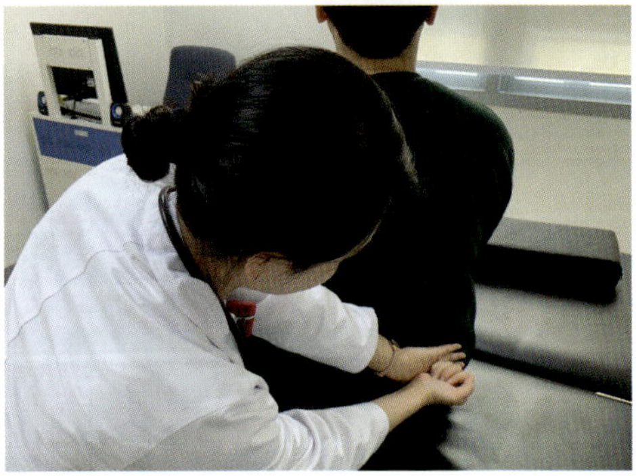

2) 방광촉진

복부 P/Ex을 할 때 시행합니다. 소변찔끔증에서는 소변이 새는지도 검사해야 합니다. "(방광을 누르며) 기침할 때 소변이 새는지 한 번 확인해보겠습니다. 소변이 샐 수 있으니 너무 놀라지 마세요. 소변이 새는 느낌이 있나요?"

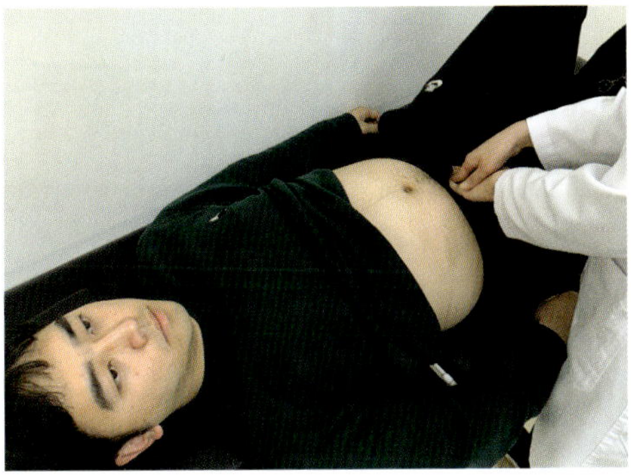

3) 신장 촉진 : 고혈압(갈색세포종), 간, 지라 촉진도 같은 방법으로 촉진

① Rt.

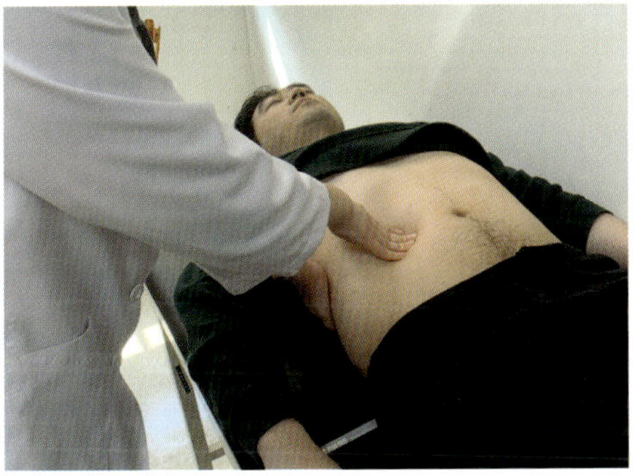

② Lt.

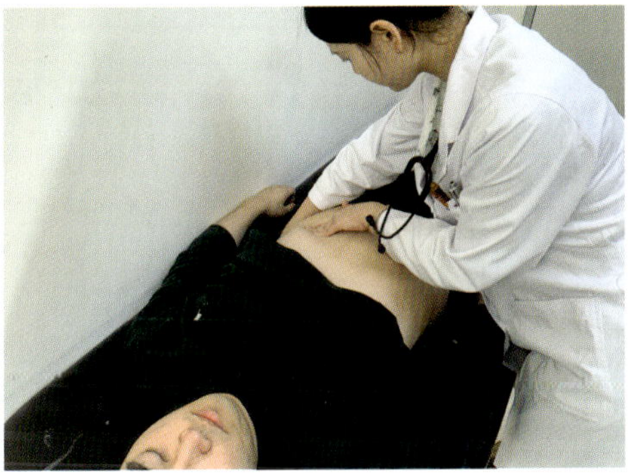

4) 유방진찰 : 앉-누-앉

'앉았다-누웠다-앉았다'로 하는 이유는 다음과 같습니다.

첫째, 검사를 빠뜨리지 않고 다 하기 위함입니다. 각 단계마다 하나에 집중하면 되기 때문에 외우기에 부담감이 적습니다(유방시진-유방촉진-림프절촉진).

둘째, 유방 시진과 촉진은 SP로 하여금 수치심을 일으킬 수 있는 민감한 검사입니다. 림프절촉진을 마지막에 함으로써 Education을 하기 전에 다소 분위기를 완충시킬 수 있습니다.

"지금부터 유방진찰을 하고자 합니다. 진찰은 피부변화가 있는지 관찰하는 시진과 덩이와 분비물을 확인하는 촉진으로 나뉩니다. 신체진찰에 동의하신다면 입고 계신 가운을 완전히 젖혀주세요. 중간에 불편한 점이 있다면 언제든지 말씀해주세요."

그러나 시간이 촉박하다면, 앉아서 겨드랑이 림프절 촉진까지 다한 후, 누워서 유방 촉진을 진행하는 것이 좋습니다.

(1) 앉아서(유방시진)

① 가만히

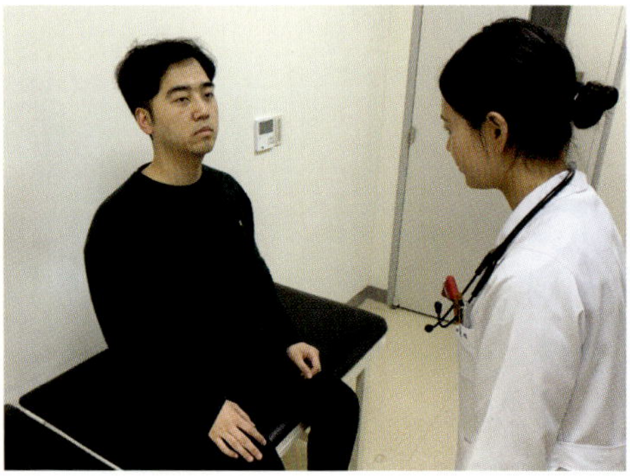

② 골반에 손

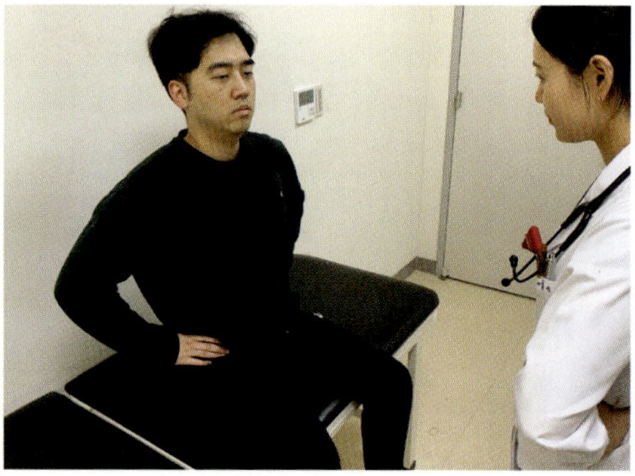

③ 머리 뒤에 손

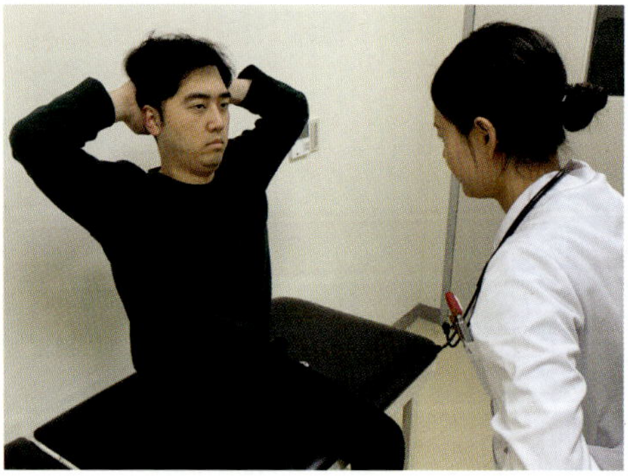

④ 어깨 밀기 : SP의 상체가 숙여져야 합니다.

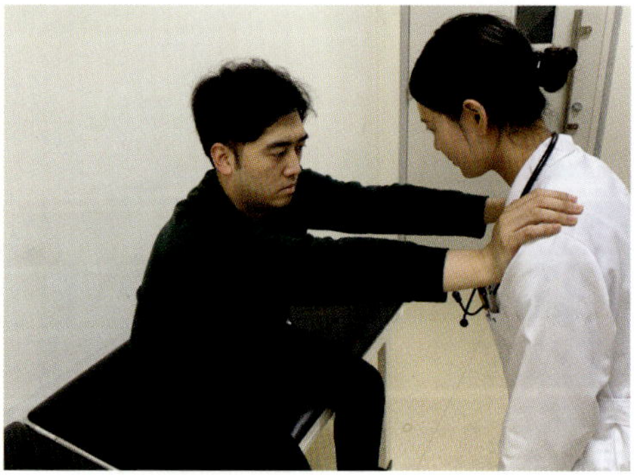

(2) 누워서(유방촉진) : 유방을 촉지하는 방법에도 약식과 정식이 있습니다. 유방외과 교수님 말씀에 따르면 약식으로 해도 충분하다고 합니다.

① 약식

• SP로 하여금 만세 자세를 취하게 한 후 시계/반시계 방향으로 꼼꼼히 촉지합니다.

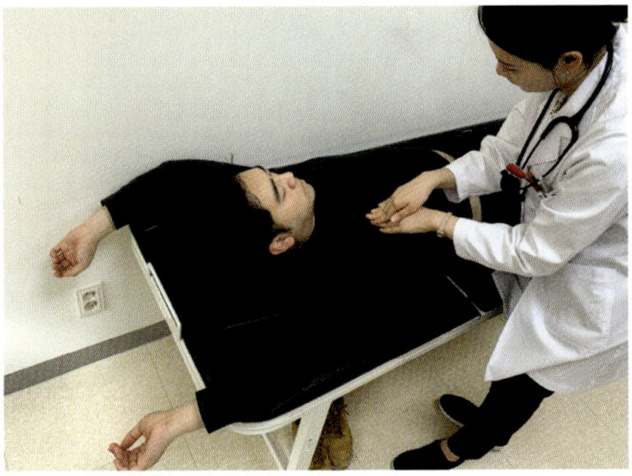

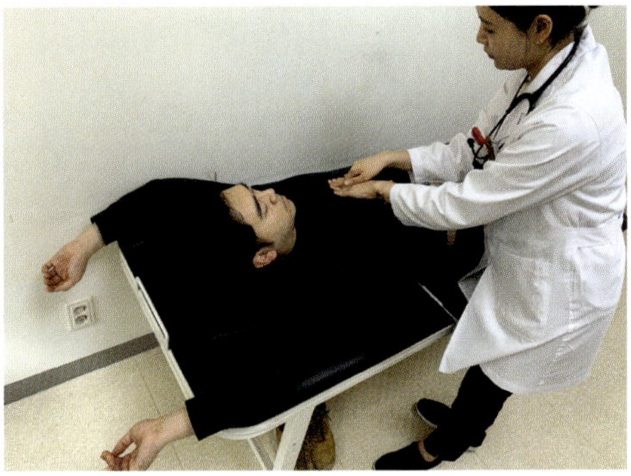

• 유두 짜기 : 손가락을 이용하여 최소 2방향에서 유두를 짜냅니다.

"이번에는 유두에서 분비물이 나오는지 보기 위한 검사를 하겠습니다. 제 손이 유두에 닿습니다."

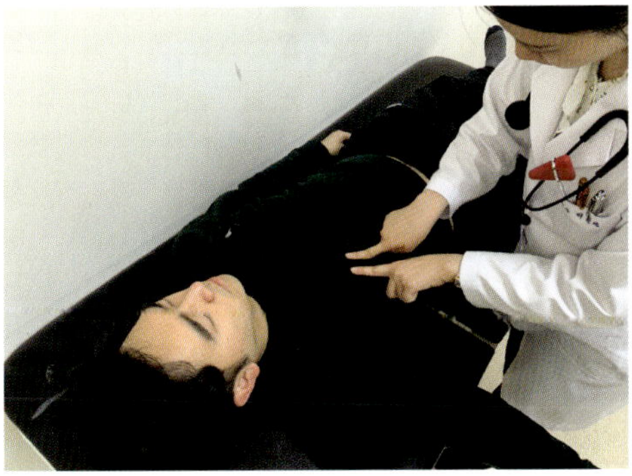

Tip 검사를 안하고 있는 반대편 유방은 반드시 가운으로 가려줍니다.

② 정식 : 외측 유방과 내측 유방을 각각 다른 자세에서 촉지합니다.

- 외측 유방 : 손은 머리 뒤에, 검사하는 유방 쪽 다리는 반대편 다리 위로 꼬게 하여 외측 유방이 최대한 펴지게 합니다. 바깥쪽에서 안쪽으로 지그재그로 꼼꼼히 촉진합니다.

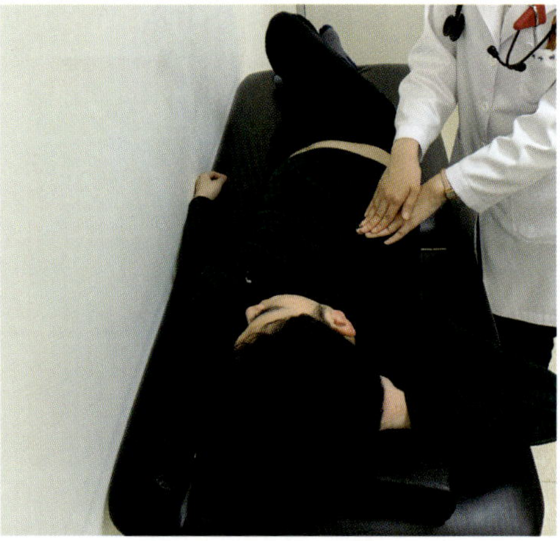

- 내측 유방 : 손은 어깨에, 다리는 반대편 다리가 위로 오게끔 하여 내측 유방이 최대한 펴진 상태를 만듭니다. 마찬가지로, 바깥쪽에서 안쪽으로 지그재그로 꼼꼼히 촉진합니다.

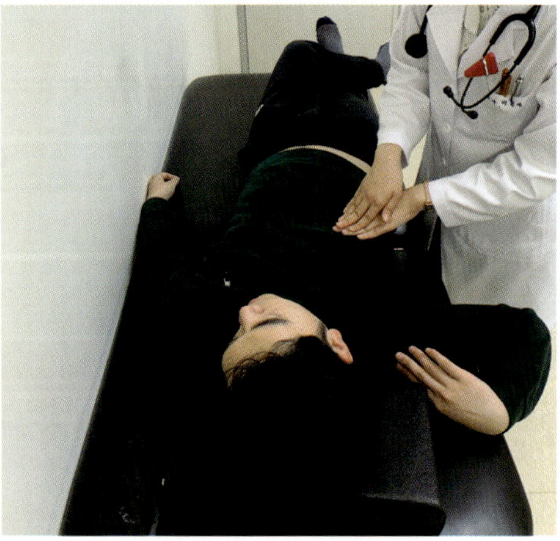

(3) 앉아서(겨드랑, 쇄골 상부 림프절촉진)

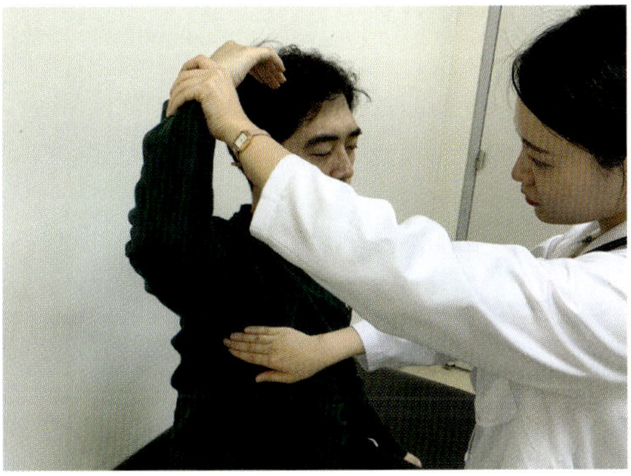
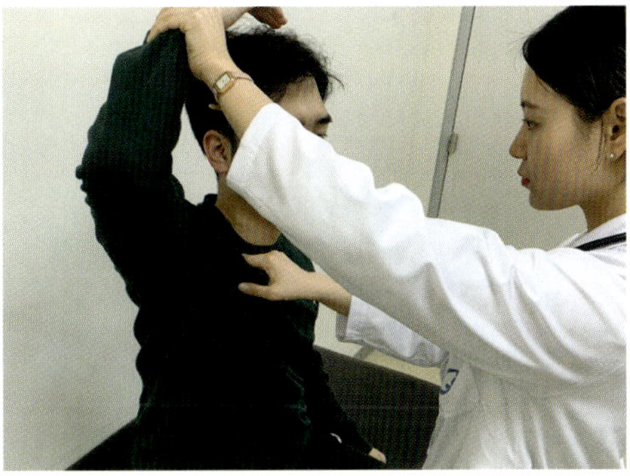

Tip 마찬가지로 검사를 안하고 있는 반대편 유방은 반드시 가운으로 가려줍니다.

CLINICAL PERFORMANCE EXAMINATION

CPX

체크 리스트

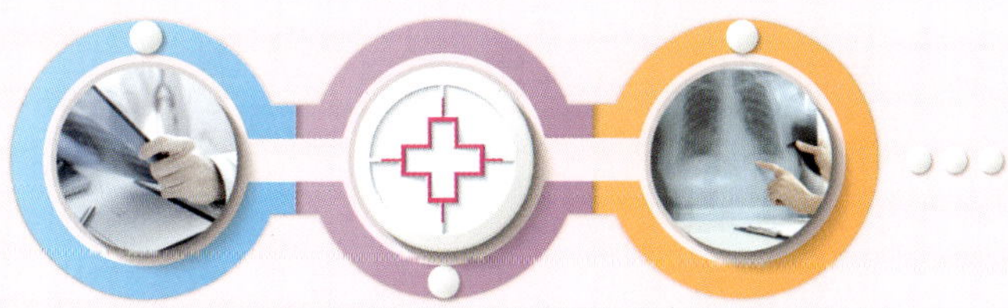

Cardiology Pulmonology Gastroenterology Nephrology Infection Endocrinology
Allergy Hematology Oncology Rheumatology Surgery Obstetrics Gynecology
Pediatrics Psychiatry Minor Preventive Medicine Medical Law

01

CHAPTER

순환기

1 가슴통증

L 위치, 방사통 C 양상, 정도 O F 운동/찬바람/음주/기침/식사/자세 S T 지속 시간, 빈도 Asso 전신/심혈관/호흡/소화/피부근골격/정신 Co Ex	약물력 과거력 HTN/고지혈증/당뇨 외상력 가슴외상, 장기간입원 사회력 식사, 운동 가족력 HTN/고지혈증/당뇨 여성력
P/E 눈, 목동맥, 심음/호흡음, 복부 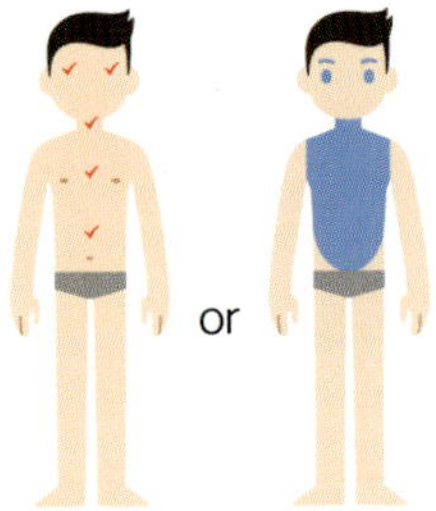 	환자교육 응급질환 운동 및 식습관

M·E·M·O

Check-list

	병력청취 채점항목	예	아니오
1	흉통의 부위, 중등도, 발생시기, 지속시간에 대해 물어보았다.	☐	☐
2	흉통의 악화인자(운동, 자세, 호흡, 식사, 찬바람 등)와 완화인자(휴식, nitrate, 자세변화 등)에 대하여 물어보았다.	☐	☐
3	흉통과 함께 발생하는 동반증상(방사통, 호흡곤란, 구역, 구토, 식은땀, 어지러움, 열, 오한, 감기 등)에 대하여 물어보았다.	☐	☐
4	위험요인(당뇨, 고혈압, 고지혈증)과 과거력 및 과거 증상 유무에 대하여 물어보았다.	☐	☐
5	가족력(허혈성 심장병, 뇌졸중, 당뇨병 등)과 식사습관 및 식사시 통증 발생에 대하여 물어보았다.	☐	☐
6	호흡기 및 외상 관련 증상에 대하여 물어보았다.	☐	☐
7	기능성 질환(불안, 우울증, 신체화장애 등)에 대하여 물어보았다.	☐	☐
8	개인 사회력(흡연과 음주)에 대해 물어보았다.	☐	☐

	신체진찰 채점항목	제대로 함	제대로 못함	하지 않음
1	응급상황을 알기 위해 혈압과 맥박, 호흡 정도를 확인하였는가?	☐	☐	☐
2	흉부에서 촉진을 통해 압통을 확인하고 호흡음과 심장음을 4군데 이상 확인하였는가?	☐	☐	☐
3	복부를 시진, 촉진, 청진하였는가?	☐	☐	☐
4	안면부 진찰을 통해 결막, 기관편위 이상 여부를 확인하였는가?	☐	☐	☐
5	경정맥 확장, 경동맥 대칭성을 확인하였는가?	☐	☐	☐
6	하지를 촉진하여 부종 여부를 확인하였는가?	☐	☐	☐

	환자교육 채점항목	예	아니오
1	가슴 통증의 원인에 대하여 설명하였는가?	☐	☐
2	필요한 진단 방법과 치료방법을 설명하고 동의를 구하였는가?	☐	☐
3	응급조치의 필요성과 입원 가능성에 대하여 설명하였는가?	☐	☐
4	질환에 따른 통증이 악화될 수 있는 위험요인과 예방법을 설명하였는가?	☐	☐

	환자의사관계 채점항목	아주우수	우수	보통	미흡
1	효율적으로 잘 물어보았다. - 효율적 질문 : 개방형 질문 사용, 확인, 중간 요약 - 피할 질문 : 유도 질문, 복수 질문	☐	☐	☐	☐
2	나의 말을 잘 들어주었다. - 대꾸하기, 경청 자세, 눈 맞춤 & 말 가로채지 않기	☐	☐	☐	☐
3	나의 입장을 이해하려고 노력하였다. - 공감 표현, 나의 입장 파악	☐	☐	☐	☐
4	환자가 이해하기 쉽게 설명하였다. - 간단명료함, 이해도 점검, 질문 기회 & 쉬운 용어	☐	☐	☐	☐
5	나와 좋은 유대 관계를 형성하려고 했다. - 자기소개, 일상 대화, 존중, 자신감 & 신뢰감	☐	☐	☐	☐

2 두근거림

L O S T Co Ex C 맥박측정, 규칙적, 갑자기 시작종료, 갑자기 심장이 쿵 F Asso 전신/심혈관/ 내분비/정신	약물력 과거력 HTN/당뇨/심장/갑상샘/정신과 외상력 심장수술 사회력 가족력 HTN/당뇨/심장/갑상샘 여성력
P/E 눈, 갑상샘, 경정맥, 심음, 복부, 요골동맥 맥박, 오목부종 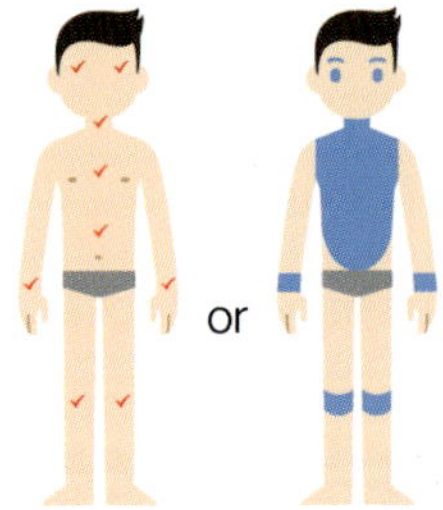	환자교육 안심시키기 커피, 술/담배 줄이기, 운동하기 심장질환 의심 시 전문적인 치료 받아야

M·E·M·O

Check-list

	병력청취 채점항목	예	아니오
1	두근거림의 발생시간, 빈도, 불편함에 대해서 물어보았다.	☐	☐
2	두근거림이 유발되는 상황과 양상(갑자기, 불규칙적 등), 직접 맥박을 측정해 보았는지에 대하여 물어보았다.	☐	☐
3	두근거림과 함께 발생하는 동반증상(호흡곤란, 가슴 통증, 실신, 두통, 안면홍조, 더위, 등)에 대하여 물어보았다.	☐	☐
4	커피, 음주, 흡연과 두근거림의 변화에 대하여 물어보았는가?	☐	☐
5	위험요인(심장기형, 내분비질환, 고혈압 등)의 과거력 및 가족력에 대하여 물어보았다.	☐	☐
6	기능성 질환(불안, 우울증, 신체화장애 등)에 대하여 물어보았다.	☐	☐
7	(여성의 경우) 월경력, 폐경여부와 임신여부에 대하여 물어보았다.	☐	☐

	신체진찰 채점항목	제대로 함	제대로 못함	하지 않음
1	요골동맥을 통해 직접 맥박을 촉진해 보았는가?	☐	☐	☐
2	흉부에서 호흡음과 심장음을 4군데 이상 확인하였는가?	☐	☐	☐
3	갑상샘의 종대, 촉진, 청진을 수행하였는가?	☐	☐	☐
4	경정맥 확장, 하지의 오목부종을 확인하였는가?	☐	☐	☐
5	복부 촉진을 통해 종괴 여부를 확인하였는가?	☐	☐	☐

	환자교육 채점항목	예	아니오
1	두근거림의 원인에 대하여 설명하였는가?	☐	☐
2	필요한 진단 방법과 치료방법을 설명하고 동의를 구하였는가?	☐	☐
3	증상 재발 시 취해야 할 조치를 설명하였는가?	☐	☐
4	술, 담배, 카페인 섭취를 줄이도록 권유하였는가?	☐	☐

	환자의사관계 채점항목	아주우수	우수	보통	미흡
1	효율적으로 잘 물어보았다. – 효율적 질문 : 개방형 질문 사용, 확인, 중간 요약 – 피할 질문 : 유도 질문, 복수 질문	☐	☐	☐	☐
2	나의 말을 잘 들어주었다. – 대꾸하기, 경청 자세, 눈 맞춤 & 말 가로채지 않기	☐	☐	☐	☐
3	나의 입장을 이해하려고 노력하였다. 공감 표현, 나의 입장 파악	☐	☐	☐	☐
4	환자가 이해하기 쉽게 설명하였다. – 간단명료함, 이해도 점검, 질문 기회 & 쉬운 용어	☐	☐	☐	☐
5	나와 좋은 유대 관계를 형성하려고 했다. – 자기소개, 일상 대화, 존중, 자신감 & 신뢰감	☐	☐	☐	☐

3 고혈압

L O S 측정 상황 T Co Ex	C 당시 혈압 F Asso 일차성/신장/갑상샘/알도/쿠싱/크롬/표적기관손상	약물력 과거력 당뇨/고지혈증/신장/갑상샘/부신 외상력 사회력 식사, 운동 가족력 HTN/심장/뇌졸중 여성력
P/E 혈압, 안저검사, 갑상샘, 경동맥, 심음, 복부, 오목부종 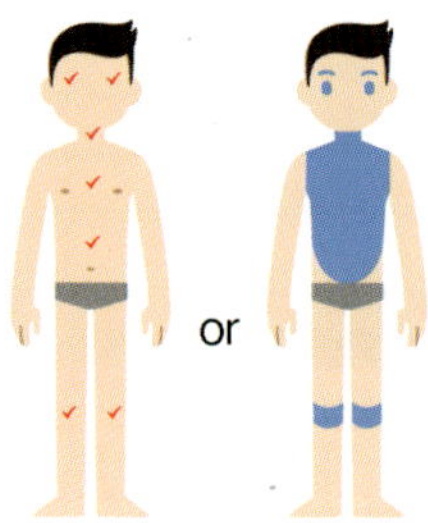		환자교육 소금 섭취 제한, 체중 조절과 운동, 절주 및 금연 꾸준한 자가혈압 측정 이차성의 경우 추가 검사 필요

M·E·M·O

Check-list

	병력청취 채점항목	예	아니오
1	고혈압 측정시기, 측정 전 조건(안정, 금연, 커피 안 마심, 금주 등)에 대하여 물어보았다.	☐	☐
2	과거에 고혈압을 진단받은 적 있는지에 대하여 물어보았다.	☐	☐
3	이차성 고혈압을 감별하기 위한 질문(두통, 식은땀, 기립성 현기증, 피로감, 체중변화, 소변 변화, 외모 변화, 더위 불내성 등)을 2가지 이상 물어보았다.	☐	☐
4	고혈압의 위험인자(비만, 당뇨, 고지혈증, 평소 식습관, 운동, 담배 등)에 대하여 3가지 이상 물어보았다.	☐	☐
5	고혈압의 합병증(두통, 시력약화, 흉통, 발기부전, 호흡곤란, 거품뇨, 두근거림 등)에 대하여 2가지 이상 물어보았다.	☐	☐
6	가족 중 고혈압, 당뇨, 뇌혈관 질환을 가진 사람에 대하여 물어보았다.	☐	☐
7	복용중인 약물(스테로이드, 코감기약 등)에 대하여 물어보았다.	☐	☐

	신체진찰 채점항목	제대로 함	제대로 못함	하지 않음
1	좌우, 팔다리의 혈압차이와 맥박을 확인하였는가?	☐	☐	☐
2	안저 검사를 시행하였는가?	☐	☐	☐
3	경부의 갑상샘, 목동맥 촉진과 청진을 수행하였는가?	☐	☐	☐
4	흉부 진찰에서 촉진과 청진을 수행하였는가?	☐	☐	☐
5	복부 진찰에서 시진, 촉진, 청진을 수행하였는가?	☐	☐	☐

	환자교육 채점항목	예	아니오
1	고혈압의 원인에 대하여 설명하였는가?	☐	☐
2	이차성 고혈압을 배제하기 위한 필요한 진단 방법과 치료방법을 설명하고 동의를 구하였는가?	☐	☐
3	장기적인 고혈압의 위험성과 합병증을 설명하였는가?	☐	☐
4	위험요인을 줄이기 위한 생활환경 개선방법을 교육하였는가?	☐	☐

	환자의사관계 채점항목	아주우수	우수	보통	미흡
1	효율적으로 잘 물어보았다. – 효율적 질문 : 개방형 질문 사용, 확인, 중간 요약 – 피할 질문 : 유도 질문, 복수 질문	☐	☐	☐	☐
2	나의 말을 잘 들어주었다. – 대꾸하기, 경청 자세, 눈 맞춤 & 말 가로채지 않기	☐	☐	☐	☐
3	나의 입장을 이해하려고 노력하였다. – 공감 표현, 나의 입장 파악	☐	☐	☐	☐
4	환자가 이해하기 쉽게 설명하였다. – 간단명료함, 이해도 점검, 질문 기회 & 쉬운 용어	☐	☐	☐	☐
5	나와 좋은 유대 관계를 형성하려고 했다. – 자기소개, 일상 대화, 존중, 자신감 & 신뢰감	☐	☐	☐	☐

4 이상지질혈증

<table>
<tr>
<td>L
O
S 검사 상황
T
Co
Ex</td>
<td>C 검사 결과
F
Asso 일차성/생활습관/
신장/갑상샘/쿠싱/
당뇨/폐경/동반심혈관</td>
<td>약물력 피임약, HRT, steroid
과거력 HTN/당뇨/관상동맥질환/간질환
외상력
사회력 식사, 운동
가족력 고지혈증/심장/뇌질환
여성력</td>
</tr>
<tr>
<td colspan="2">P/E 안검황색종, 갑상샘, 경동맥, 심음, 복부, 허리둘레, 건황색종, 오목부종
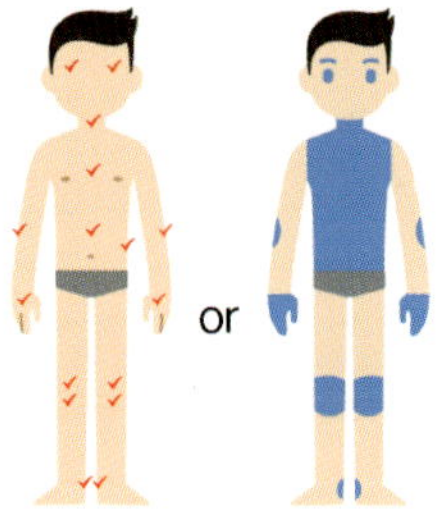
</td>
<td>환자교육
식이 및 운동 교육
가족성의 경우 더욱 엄격한 관리</td>
</tr>
</table>

M·E·M·O

Check-list

	병력청취 채점항목	예	아니오
1	검사가 정확히 측정된 것인지 확인하였다.	☐	☐
2	평소 식사나 운동 여부 등 생활습관을 확인하였다.	☐	☐
3	과거 및 현병력에 대하여 물어보았다.	☐	☐
4	동반증상이 있는지 물어보았다(호흡곤란/가슴 통증, 체중증가, 추위 불내성/부종/피로 등).	☐	☐
5	복용중인 약물이 있는지 물어보았다(스테로이드, 호르몬제 등).	☐	☐
6	가족 중 심뇌혈관질환의 병력이 있는지 물어보았다.	☐	☐
7	음주/흡연력에 대하여 물어보았다.	☐	☐

	신체진찰 채점항목	제대로 함	제대로 못함	하지 않음
1	키/체중, 허리둘레를 측정하고 BMI를 계산하였다.	☐	☐	☐
2	눈 주변, 손목, 발목 등에서 황색종이 있는지 관찰하였다.	☐	☐	☐
3	경동맥 잡음과 심음을 청진하였다.	☐	☐	☐
4	갑상샘 진찰을 시행하였다.	☐	☐	☐
5	복부 진찰을 시행하였다.	☐	☐	☐
6	양쪽 다리 오목부종을 확인하였다.	☐	☐	☐

	환자교육 채점항목	예	아니오
1	현재 환자의 상태와 심뇌혈관질환의 위험도를 설명하였다.	☐	☐
2	이상지질혈증의 조절목표를 제시하였다.	☐	☐
3	치료계획을 비약물치료와 약물치료로 나누어 설명하였다.	☐	☐
4	생활습관 교정의 중요성을 설명하였다.	☐	☐

	환자의사관계 채점항목	아주우수	우수	보통	미흡
1	효율적으로 잘 물어보았다. – 효율적 질문 : 개방형 질문 사용, 확인, 중간 요약 – 피할 질문 : 유도 질문, 복수 질문	☐	☐	☐	☐
2	나의 말을 잘 들어주었다. – 대꾸하기, 경청 자세, 눈 맞춤 & 말 가로채지 않기	☐	☐	☐	☐
3	나의 입장을 이해하려고 노력하였다. – 공감 표현, 나의 입장 파악	☐	☐	☐	☐
4	환자가 이해하기 쉽게 설명하였다. – 간단명료함, 이해도 점검, 질문 기회 & 쉬운 용어	☐	☐	☐	☐
5	나와 좋은 유대 관계를 형성하려고 했다. – 자기소개, 일상 대화, 존중, 자신감 & 신뢰감	☐	☐	☐	☐

CLINICAL PERFORMANCE EXAMINATION

CHAPTER 02

호흡기

5 콧물 · 코막힘

<table>
<tr><td>L 한쪽? 양쪽?
O
S
T
Co
Ex</td><td>C 점액?/색/양/냄새
F 계절
Asso 감염, 알레, 암</td><td>약물력 분무제
과거력 아토피, 천식
외상력
사회력 직업!!
가족력
여성력</td></tr>
<tr><td colspan="2">P/E 눈/코/입/목, 흉부, 이경(모형)
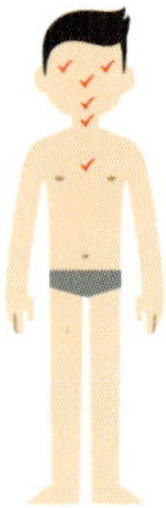
or
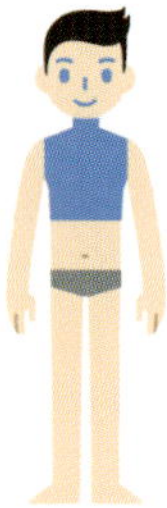</td><td>환자교육
부비동 X-ray
알레르기검사

집안환경</td></tr>
</table>

M·E·M·O

Check-list

	병력청취 채점항목	예	아니오
1	언제부터 증상이 시작되었는지 물어보았다.	☐	☐
2	콧물의 성상(색, 점도, 혈액 동반 여부)과 양상(빈도, 패턴, 심한 정도)에 대해서 물어보았다.	☐	☐
3	콧물이 목뒤로 넘어가는지, 한쪽 또는 양쪽에서 흐르는지, 음식 먹을 때 흐르는지 물어보았다.	☐	☐
4	호흡기 관련 동반 증상(기침, 재채기, 코막힘, 코가려움 등)에 대해서 물어보았다.	☐	☐
5	전신 증상(감기, 발열, 근육통) 중 한 가지 이상 물어보았다.	☐	☐
6	완화/악화 인자에 대해서 물어보았다.	☐	☐
7	환절기나 특정 계절과 관련이 있는지 물어보았다.	☐	☐
8	아토피, 알레르기성 비염에 대한 과거력과 가족력에 대해서 물어보았다.	☐	☐
9	복용 중인 약물 또는 과거 치료력에 대해서 물어보았다.	☐	☐
10	머리 부위의 외상 또는 수술 여부를 물어보았다.	☐	☐
11	생활환경(직업)이나 애완견 등 특이 사항에 대해 물어보았다.	☐	☐

	신체진찰 채점항목	제대로 함	제대로 못함	하지 않음
1	안면부 진찰을 통해 부비동 압통 여부를 확인하였다.	☐	☐	☐
2	비경 검사를 통해 콧물의 성상과 비점막 상태를 확인하였다.	☐	☐	☐
3	구강 검사를 통해 인후부 상태와 PND를 확인하였다.	☐	☐	☐
4	경부 림프절 촉진을 시행하였다.	☐	☐	☐
5	호흡음을 청진하였다.	☐	☐	☐

	환자교육 채점항목	예	아니오
1	콧물의 원인 질환에 대해 설명하였다.	☐	☐
2	필요한 검사와 약물 치료 및 대증 요법에 대해 설명하였다.	☐	☐
3	개인위생, 회피요법의 중요성 등 일상생활에서 조심해야 할 상황에 대해 교육하였다.	☐	☐

	환자의사관계 채점항목	아주우수	우수	보통	미흡
1	효율적으로 잘 물어보았다. - 효율적 질문 : 개방형 질문 사용, 확인, 중간 요약 - 피할 질문 : 유도 질문, 복수 질문	☐	☐	☐	☐
2	나의 말을 잘 들어주었다. - 대꾸하기, 경청 자세, 눈 맞춤 & 말 가로채지 않기	☐	☐	☐	☐
3	나의 입장을 이해하려고 노력하였다. - 공감 표현, 나의 입장 파악	☐	☐	☐	☐
4	환자가 이해하기 쉽게 설명하였다. - 간단명료함, 이해도 점검, 질문 기회 & 쉬운 용어	☐	☐	☐	☐
5	나와 좋은 유대 관계를 형성하려고 했다. - 자기소개, 일상 대화, 존중, 자신감 & 신뢰감	☐	☐	☐	☐

6 기 침

L O 3주/8주 S T Co Ex C 가래 F Asso 호흡기, 순환기, 소화기	약물력 고혈압약(ACEi) 과거력 아토피, 천식 예방접종 외상력 사회력 거주 및 직업환경 가족력 여성력
P/E 눈/코/입/목, 흉부 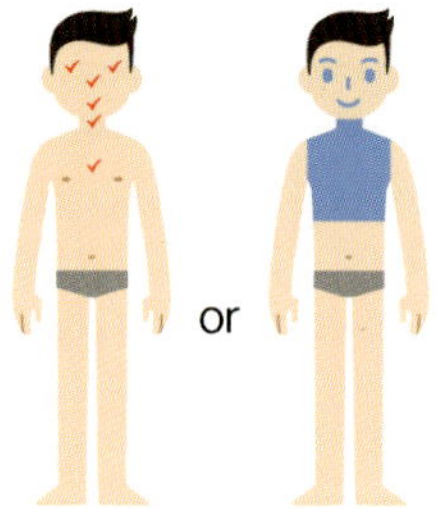 	환자교육 흉부 X-ray 금연 예방접종 환경관리

M·E·M·O

Check-list

	병력청취 채점항목	예	아니오
1	기침의 지속기간을 물어보았는가?	☐	☐
2	기침과 함께 나타나는 증상(가래, 객혈, 열, 호흡곤란, 쌕쌕거림, 흉통) 중 2가지 이상 물어보았는가?	☐	☐
3	과거에 감기에 걸리면 1달 이상 기침이 지속되었는지 물어보았는가?	☐	☐
4	기침이 악화/완화되는 요인에 대해서 물어보았는가?	☐	☐
5	콧물이 뒤로 넘어감, 신물, 속쓰림 여부를 물어보았는가?	☐	☐
6	이전에 앓거나 진단받은 질환에 대해서 물어보았는가?	☐	☐
7	복용하는 약물에 대해서 물어보았는가?	☐	☐
8	흡연력, 직업력, 유해물질 노출 등에 대해서 물어보았는가?	☐	☐

	신체진찰 채점항목	제대로 함	제대로 못함	하지 않음
1	안면부 진찰을 통해 부비동 압통 여부를 확인하였는가?	☐	☐	☐
2	비경 검사 및 경부림프절 촉진하였는가?	☐	☐	☐
3	구강 검사를 통해 인후부 상태와 PND를 확인하였는가?	☐	☐	☐
4	흉부를 촉진, 타진하여 이상소견을 확인하였는가?	☐	☐	☐
5	흉부를 6군데 이상 청진하였는가?	☐	☐	☐

	환자교육 채점항목	예	아니오
1	기침의 원인에 대하여 설명하였는가?	☐	☐
2	확진을 위해 필요한 검사를 설명하고 동의를 구하였는가?	☐	☐
3	치료 방법을 설명하고 일상생활의 유의점을 설명하였는가?	☐	☐
4	흡연의 위험성을 설명하고 금연을 권유하였는가?	☐	☐
5	독감과 폐렴 예방접종에 대하여 설명하였는가?	☐	☐

	환자의사관계 채점항목	아주우수	우수	보통	미흡
1	효율적으로 잘 물어보았다. – 효율적 질문 : 개방형 질문 사용, 확인, 중간 요약 – 피할 질문 : 유도 질문, 복수 질문	☐	☐	☐	☐
2	나의 말을 잘 들어주었다. – 대꾸하기, 경청 자세, 눈 맞춤 & 말 가로채지 않기	☐	☐	☐	☐
3	나의 입장을 이해하려고 노력하였다. – 공감 표현, 나의 입장 파악	☐	☐	☐	☐
4	환자가 이해하기 쉽게 설명하였다. – 간단명료함, 이해도 점검, 질문 기회 & 쉬운 용어	☐	☐	☐	☐
5	나와 좋은 유대 관계를 형성하려고 했다. – 자기소개, 일상 대화, 존중, 자신감 & 신뢰감	☐	☐	☐	☐

7 객 혈

L O S 기침/구토/양치 T Co Ex C 양(종이컵)/색 F 계절 Asso 응급, 호흡기, 출혈경향 (민물게장)	약물력 항응고제 과거력 결핵 예방접종 외상력 사회력 가족력 여성력
P/E 눈/코/입/목, 흉부 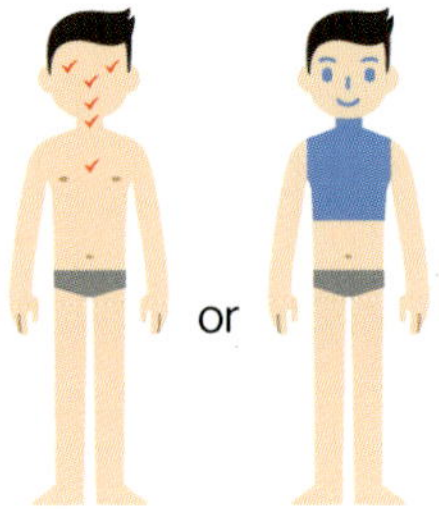 	환자교육 흉부 X-ray, CT 대량객혈 시 내원 금연

M·E·M·O

Check-list

	병력청취 채점항목		예	아니오
1	객혈이 언제, 어떤 상황에서 발생했는지 물어보았는가?		☐	☐
2	객혈의 양상(색, 양)과 거품, 음식물이 섞여있는지 물어보았는가?		☐	☐
3	동반증상(가래, 호흡곤란, 발열, 체중감소, 식은땀 등)을 물어보았는가?		☐	☐
4	잦은 출혈, 멍 등 출혈경향에 대하여 물어보았는가?		☐	☐
5	객혈의 과거력, 이전에 앓거나 진단받은 질환(결핵, 백일해 등)에 대해서 물어보았는가?		☐	☐
6	복용하는 약물에 대해서 물어보았는가?		☐	☐
7	흡연력, 직업력, 유해물질 노출 등에 대해서 물어보았는가?		☐	☐
	신체진찰 채점항목	제대로 함	제대로 못함	하지 않음
1	안면부, 구강 검사를 통해 출혈 흔적을 확인하였는가?	☐	☐	☐
2	흉부를 시진, 촉진하고 호흡운동을 3초 이상 관찰하였는가?	☐	☐	☐
3	흉부를 4군데 이상 청진하였는가?	☐	☐	☐
4	심음을 확인하였는가?	☐	☐	☐
5	목과 빗장위 림프절을 촉진하였는가?	☐	☐	☐
	환자교육 채점항목		예	아니오
1	객혈의 원인에 대하여 설명하였는가?		☐	☐
2	대량 객혈의 위험성과 응급상황이 발생시에 신속히 병원으로 오라고 설명하였는가?		☐	☐
3	필요한 진단 방법과 치료방법을 설명하고 동의를 구하였는가?		☐	☐
4	흡연의 위험성을 설명하고 금연을 권유하였는가?		☐	☐

	환자의사관계 채점항목	아주우수	우수	보통	미흡
1	효율적으로 잘 물어보았다. - 효율적 질문 : 개방형 질문 사용, 확인, 중간 요약 - 피할 질문 : 유도 질문, 복수 질문	☐	☐	☐	☐
2	나의 말을 잘 들어주었다. - 대꾸하기, 경청 자세, 눈 맞춤 & 말 가로채지 않기	☐	☐	☐	☐
3	나의 입장을 이해하려고 노력하였다. - 공감 표현, 나의 입장 파악	☐	☐	☐	☐
4	환자가 이해하기 쉽게 설명하였다. - 간단명료함, 이해도 섬검, 질문 기회 & 쉬운 용어	☐	☐	☐	☐
5	나와 좋은 유대 관계를 형성하려고 했다. - 자기소개, 일상 대화, 존중, 자신감 & 신뢰감	☐	☐	☐	☐

8 호흡곤란

<table>
<tr>
<td>L 한쪽? 양쪽?
O
S
T
Co
Ex</td>
<td>C mMRC
F 계절
Asso 순환기, 내분비, 정신</td>
<td>약물력 여성호르몬
과거력 폐결핵
외상력
사회력 직업 및 거주환경
가족력
여성력</td>
</tr>
<tr>
<td colspan="2">P/E 눈/목, 흉부
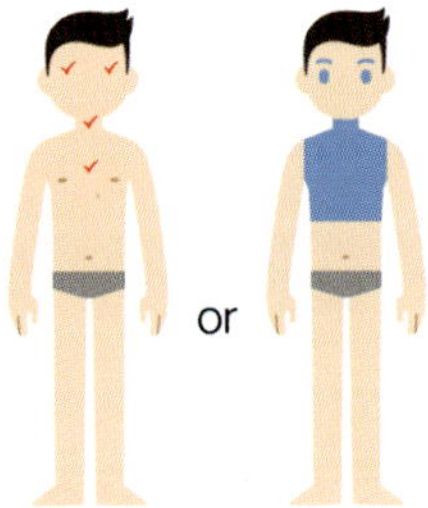
</td>
<td>환자교육
흉부 X-ray
ABGA

금연
예방접종</td>
</tr>
</table>

M·E·M·O

Check-list

	병력청취 채점항목	예	아니오
1	호흡곤란이 언제, 어떤 상황에서 시작되었는지 물어보았는가?	☐	☐
2	호흡곤란의 중등도를 파악하고 악화요인(자세, 시간, 운동, 스트레스 등)에 대하여 질문하였는가?	☐	☐
3	호흡기와 심혈관 원인을 감별하기 위한 질문을 하였는가?	☐	☐
4	동반증상(기침, 가래, 발열, 가슴 통증, 두근거림, 체중감소, 쌕쌕거림, 하지부종, 불안감 등)을 물어보았는가?	☐	☐
5	정신적 문제(공황장애, 불안장애 등)를 감별하기 위한 질문을 하였는가?	☐	☐
6	이전에 앓거나 진단받은 질환(호흡기계 질병, 심혈관계 질병 등)과 가족력에 대하여 물어보았는가?	☐	☐
7	흡연력, 직업력, 복용하는 약물에 대해서 물어보았는가?	☐	☐

	신체진찰 채점항목	제대로 함	제대로 못함	하지 않음
1	응급상황을 알기 위해 호흡곤란의 정도와 맥박을 확인하였는가?	☐	☐	☐
2	심장음을 4군데 이상 청진하여 부정맥, 잡음을 확인하였는가?	☐	☐	☐
3	안면부 진찰을 통해 결막, 갑상샘, 기관편위 여부를 확인하였는가?	☐	☐	☐
4	흉부 진찰을 적절히 수행하였는가?	☐	☐	☐
5	팔다리 진찰을 통해 청색증, 부종, 곤봉지를 확인하였는가?	☐	☐	☐

	환자교육 채점항목	예	아니오
1	호흡곤란의 원인과 응급질환의 가능성과 필요조치에 관해 설명하였는가?	☐	☐
2	필요한 진단 방법과 치료방법을 설명하고 동의를 구하였는가?	☐	☐
3	만성 호흡곤란일 경우 장기적인 관리와 치료, 예방접종에 관해 설명하였는가?	☐	☐
4	흡연의 위험성을 설명하고 금연을 권유하였는가?	☐	☐

	환자의사관계 채점항목	아주우수	우수	보통	미흡
1	효율적으로 잘 물어보았다. – 효율적 질문 : 개방형 질문 사용, 확인, 중간 요약 – 피할 질문 : 유도 질문, 복수 질문	☐	☐	☐	☐
2	나의 말을 잘 들어주었다. – 대꾸하기, 경청 자세, 눈 맞춤 & 말 가로채지 않기	☐	☐	☐	☐
3	나의 입장을 이해하려고 노력하였다. – 공감 표현, 나의 입장 파악	☐	☐	☐	☐
4	환자가 이해하기 쉽게 설명하였다. – 간단명료함, 이해도 점검, 질문 기회 & 쉬운 용어	☐	☐	☐	☐
5	나와 좋은 유대 관계를 형성하려고 했다. – 자기소개, 일상 대화, 존중, 자신감 & 신뢰감	☐	☐	☐	☐

CLINICAL PERFORMANCE EXAMINATION

03

CHAPTER

소화기

9 복 통

L 위치, 방사통	C 양상, 정도	약물력
O	F	과거력 HTN/당뇨/간질환
S	Asso [상] 응급/전신/소화	외상력 복부외상, 복부수술
T	[하] 응급/전신/소화	사회력 식사, 운동
Co	/비뇨/여성	가족력 비슷한 증상, 소화기
Ex		여성력

P/E	환자교육
결막, 공막, 혀, 심음/호흡음(상부), 복부, Murphy(상부), Psoas/Obturator(하부), DRE, CVAT(하부), 골반진찰(하부) 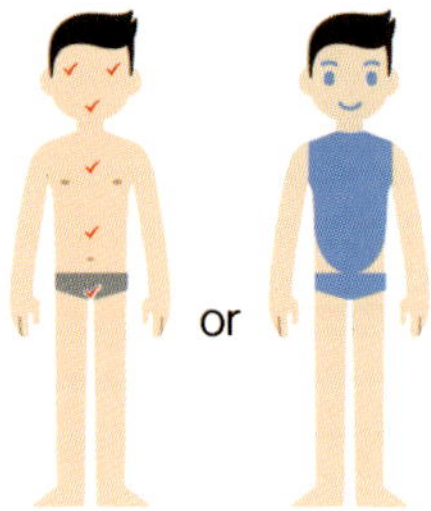	입원, 수술 필요성 절주

M·E·M·O

Check-list

	병력청취 채점항목	예	아니오
1	복통의 위치, 시작시간, 방사통에 대하여 물어보았다.	☐	☐
2	복통의 양상과 강도, 변화되는 부위, 양상에 대하여 물어보았다.	☐	☐
3	복통 발생 전에 음식, 음주, 상황에 대하여 물어보았다.	☐	☐
4	복통의 악화인자(자세, 식사, 음주, 스트레스 등)와 완화인자에 대하여 물어보았다.	☐	☐
5	복통과 함께 동반증상(A/N/V/D/C, 소화불량, 소변문제, 황달 등)에 대하여 물어보았다.	☐	☐
6	이전 수술병력, 앓고 있는 질환, 먹고 있는 약물에 대해 물어보았다.	☐	☐
7	가족 중 소화기질환, 흡연력, 음주력에 대해 물어보았다.	☐	☐

	신체진찰 채점항목	제대로 함	제대로 못함	하지 않음
1	결막, 공막 진찰과 피부긴장도를 확인하였는가?	☐	☐	☐
2	심장음과 호흡음을 청진을 시행하였는가?	☐	☐	☐
3	복부 진찰 시 올바른 자세를 잡고 환자의 오른쪽에서 시진을 수행하였는가?	☐	☐	☐
4	복부 진찰 시에 통증 부위를 묻고 해당 부위를 가장 나중에 청진, 타진, 촉진하였는가?	☐	☐	☐
5	간·비장 종대, (상복부) Murphy 징후 (하복부) Psoas, Obturator 징후를 확인하였는가?	☐	☐	☐
6	DRE, CVAT, 골반 진찰(여성)의 필요성을 설명하고 진찰을 수행하였는가?	☐	☐	☐

	환자교육 채점항목	예	아니오
1	복통을 일으키는 원인에 대해 2가지 이상 설명하였는가?	☐	☐
2	의심되는 진단과 필요한 검사 방법에 대해 설명하였는가?	☐	☐
3	향후 치료 계획과 입원·수술의 필요성에 대하여 설명하였는가?	☐	☐
4	수술의 가능성이 배제되기 전까지 금식을 권유하였는가?	☐	☐

	환자의사관계 채점항목	아주우수	우수	보통	미흡
1	효율적으로 잘 물어보았다. – 효율적 질문 : 개방형 질문 사용, 확인, 중간 요약 – 피할 질문 : 유도 질문, 복수 질문	☐	☐	☐	☐
2	나의 말을 잘 들어주었다. – 대꾸하기, 경청 자세, 눈 맞춤 & 말 가로채지 않기	☐	☐	☐	☐
3	나의 입장을 이해하려고 노력하였다. – 공감 표현, 나의 입장 파악	☐	☐	☐	☐
4	환자가 이해하기 쉽게 설명하였다. – 간단명료함, 이해도 점검, 질문 기회 & 쉬운 용어	☐	☐	☐	☐
5	나와 좋은 유대 관계를 형성하려고 했다. – 자기소개, 일상 대화, 존중, 자신감 & 신뢰감	☐	☐	☐	☐

10 소화불량

L　　　　C 감별진단/양상/정도 O　　　　F S　　　　Asso 전신/소화/GERD T Co Ex	약물력 과거력 HTN/당뇨/간질환 외상력 복부외상, 복부수술 사회력 식사, 운동 가족력 비슷한 증상, 소화기 여성력
P/E 결막, 공막, 인후두, 목림프절, 심음, 복부, CVAT, DRE, 골반진찰 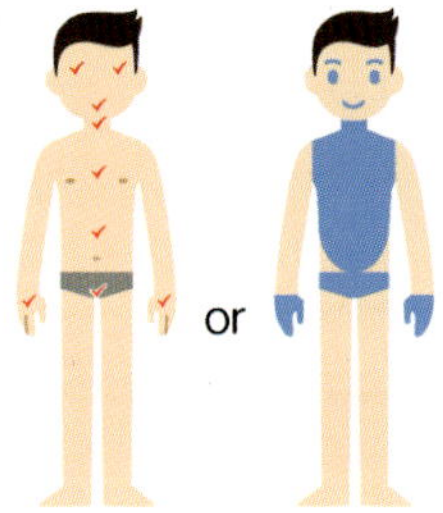	환자교육 금주/금연, 운동, 체중 조절, 식이 개선 스트레스 관리 기질적 문제 의심되면 추가 검사 필요

M·E·M·O

Check-list

	병력청취 채점항목	예	아니오
1	소화불량의 발생시기와 위치에 대해서 물어보았다.	☐	☐
2	소화불량이 심해지는 경우와 완화되는 경우를 물어보았다.	☐	☐
3	소화불량의 동반증상(구역, 구토, 설사, 어지러움, 피곤함, 복통, 대변색, 소변색 변화 등)에 대해 3가지 이상 물어보았다.	☐	☐
4	평소 식습관에 대해서 물어보았다.	☐	☐
5	소화불량의 경고 증상에 대해서 물어보았다.	☐	☐
6	먹고 있는 약물(NSAIDs, 항생제, 스테로이드 등)에 대해 물어보았다.	☐	☐
7	기저질환 및 이전 복부 수술병력, 가족력에 대해서 물어보았다.	☐	☐

	신체진찰 채점항목	제대로 함	제대로 못함	하지 않음
1	결막(빈혈), 공막(황달) 진찰을 수행하였는가?	☐	☐	☐
2	구강 진찰을 통해 위산 역류 여부를 확인하였는가?	☐	☐	☐
3	목, 쇄골위, 겨드랑 림프절 촉진을 수행하였는가?	☐	☐	☐
4	복부 진찰 시 올바른 자세를 잡고 환자의 오른쪽에서 시진을 수행하였는가?	☐	☐	☐
5	복부 진찰 시 환자의 복부 팽만 여부와 복부 둘레를 확인하였는가?	☐	☐	☐
6	복부 진찰 시 시진, 청진, 얕은 촉진, 깊은 촉진을 올바르게 시행하였는가?	☐	☐	☐

	환자교육 채점항목	예	아니오
1	소화불량을 일으키는 원인에 대해 3가지 이상 설명하였는가?	☐	☐
2	경고증상을 설명하여 기질적 원인이 소화불량을 일으킬 수 있음을 설명하였는가?	☐	☐
3	의심되는 진단과 필요한 검사 방법에 대해 설명하였는가?	☐	☐
4	생활습관 변화를 통한 소화불량의 완화에 대해 설명하였는가?	☐	☐

	환자의사관계 채점항목	아주우수	우수	보통	미흡
1	효율적으로 잘 물어보았다. – 효율적 질문 : 개방형 질문 사용, 확인, 중간 요약 – 피할 질문 : 유도 질문, 복수 질문	☐	☐	☐	☐
2	나의 말을 잘 들어주었다. – 대꾸하기, 경청 자세, 눈 맞춤 & 말 가로채지 않기	☐	☐	☐	☐
3	나의 입장을 이해하려고 노력하였다. – 공감 표현, 나의 입장 파악	☐	☐	☐	☐
4	환자가 이해하기 쉽게 설명하였다. – 간단명료함, 이해도 점검, 질문 기회 & 쉬운 용어	☐	☐	☐	☐
5	나와 좋은 유대 관계를 형성하려고 했다. – 자기소개, 일상 대화, 존중, 자신감 & 신뢰감	☐	☐	☐	☐

11 구 토

L	C 양/양상	약물력	
O	F 상한 음식	과거력	HTN/당뇨/간/신장
S	Asso 전신/탈수/소화/신경/정신/임신	외상력	두부외상, 복부수술
T		사회력	
Co		가족력	같이 식사한 사람도
Ex		여성력	임신가능성

P/E	환자교육
P/E 결막, 공막, 혀, 목림프절, 복부, 피부긴장도, 고의적인 구토(입, 손톱), DRE, 신경계 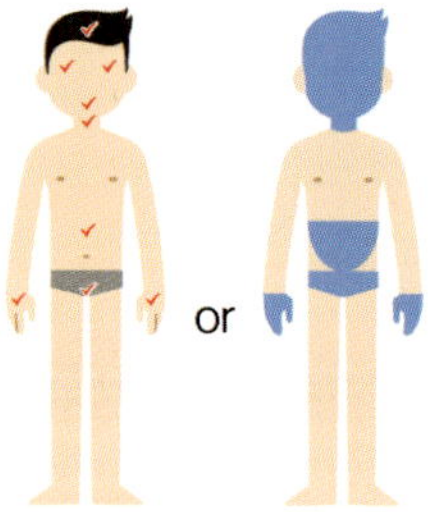	탈수 있으면 입원하여 수액치료 손위생, 음식 가려먹기 신경학적 원인 의심 시 응급조치 필요 항구토제 사용 않기

M·E·M·O

Check-list

	병력청취 채점항목	예	아니오
1	구토의 발생시기와 양상 및 구토물 양에 대하여 물어보았다	☐	☐
2	구토의 지속시간과 토혈 여부에 대해 물어보았다.	☐	☐
3	구토가 식사와 관련 있는지 물어보았다(식사 전인지 식사 후인지).	☐	☐
4	구토의 동반증상(구역, 설사, 복통, 발열, 대변, 소변 변화 등)에 대해 물어보았다.	☐	☐
5	발열, 오한, 최근 먹은 음식에 대하여 물어보았다.	☐	☐
6	뇌압상승증상(두통, 시야 장애, 발음 문제 등)에 대해 물어보았다.	☐	☐
7	기저질환 및 이전 복부수술병력, 약물, 임신 가능성에 대해 물어보았다.	☐	☐

	신체진찰 채점항목	제대로 함	제대로 못함	하지 않음
1	결막, 공막 진찰과 동공반사를 확인하였는가?	☐	☐	☐
2	경부강직 검사를 실시하였는가?	☐	☐	☐
3	입안에서 혀, 입술 및 피부긴장도를 통해 탈수를 평가하였는가?	☐	☐	☐
4	복부 진찰 시 올바른 자세를 잡고 환자의 오른쪽에서 시진을 수행하였는가?	☐	☐	☐
5	복부 진찰 시에 통증 부위를 묻고 해당 부위를 가장 나중에 청진, 타진하였는가?	☐	☐	☐
6	복부 진찰 시에 얕은 촉진, 깊은 촉진을 올바르게 시행하였는가?	☐	☐	☐

	환자교육 채점항목	예	아니오
1	복통을 일으키는 원인에 대해 2가지 이상 설명하였는가?	☐	☐
2	뇌압상승으로 인해 구토가 유발될 수 있음을 설명하였는가?	☐	☐
3	의심되는 진단과 필요한 검사 방법에 대해 설명하였는가?	☐	☐
4	향후 치료 계획과 입원·수술의 필요성에 대하여 설명하였는가?	☐	☐

	환자의사관계 채점항목	아주우수	우수	보통	미흡
1	효율적으로 잘 물어보았다. - 효율적 질문 : 개방형 질문 사용, 확인, 중간 요약 - 피할 질문 : 유도 질문, 복수 질문	☐	☐	☐	☐
2	나의 말을 잘 들어주었다. - 대꾸하기, 경청 자세, 눈 맞춤 & 말 가로채지 않기	☐	☐	☐	☐
3	나의 입장을 이해하려고 노력하였다. - 공감 표현, 나의 입장 파악	☐	☐	☐	☐
4	환자가 이해하기 쉽게 설명하였다. - 간단명료함, 이해도 점검, 질문 기회 & 쉬운 용어	☐	☐	☐	☐
5	나와 좋은 유대 관계를 형성하려고 했다. - 자기소개, 일상 대화, 존중, 자신감 & 신뢰감	☐	☐	☐	☐

12-1 배변이상(설사)

L C 감별진단/양/양상/정도 O F 상한 음식/여행 S Asso 전신/탈수/소화/정신/내분비 T 변 하루에 몇 번 Co Ex	약물력 과거력 HTN/당뇨/간/소화기 외상력 복부외상, 수술, RT 사회력 가족력 같이 식사한 사람도 여성력
P/E 결막, 혀, 갑상샘, 복부, 피부 긴장도, DRE 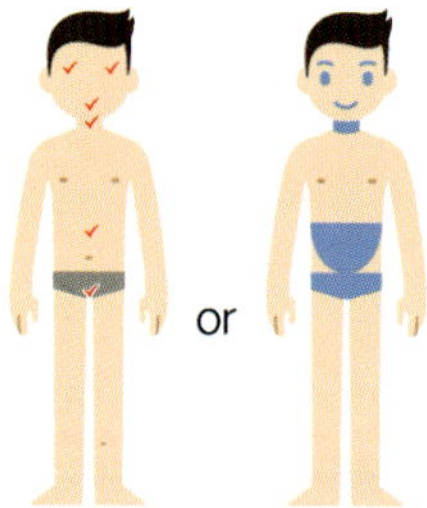	환자교육 탈수 있으면 입원하여 수액치료 손위생, 음식 가려먹기 기질적 원인 의심되면 대장내시경 지사제 남용 금지

M·E·M·O

Check-list

	병력청취 채점항목	예	아니오
1	언제부터 설사가 시작되었는지, 하루에 설사를 몇 번 하는지, 설사양은 얼마나 되는지에 대해서 물어보았다.	☐	☐
2	설사의 양상(수양성, 점액성, 기름이 뜨는지 등)에 대해 물어보았다.	☐	☐
3	완화/악화인자와 동반증상(복통, 구토, 발열 등)을 물어보았다.	☐	☐
4	기질성 질환을 의심할 수 있는 증상(혈변, 발열, 체중감소 등)에 대해 물어보았다.	☐	☐
5	식이습관과 음식 섭취, 음주와의 관련성에 대해서 물어보았다.	☐	☐
6	복용하는 약물(항생제, 제산제, 변비약 등)에 대해서 물어보았다.	☐	☐
7	가족력, 여행력, 음주 및 흡연력에 대해서 물어보았는가?	☐	☐

	신체진찰 채점항목	제대로 함	제대로 못함	하지 않음
1	결막, 공막, 피부을 시진하여 탈수 상태를 확인하였는가?	☐	☐	☐
2	갑상샘을 촉진하였는가?	☐	☐	☐
3	복부 진찰 시 환자의 오른쪽에서 올바른 자세를 잡고 시진을 수행하였는가?	☐	☐	☐
4	복부 진찰 시에 장음 청진 및 타진을 수행하였는가?	☐	☐	☐
5	복부 진찰 시에 촉진 및 간·비장 비대를 확인하였는가?	☐	☐	☐
6	손가락직장 검사를 시행하였는가?	☐	☐	☐

	환자교육 채점항목	예	아니오
1	설사의 원인에 대하여 설명하였는가?	☐	☐
2	필요한 진단 방법과 치료방법을 설명하고 동의를 구하였는가?	☐	☐
3	기질성 질환의 가능성을 설명하였는가?	☐	☐
4	기능성 질환의 경우 올바른 식습관과 생활 습관(커피, 음주 등)에 대해서 설명하였는가?	☐	☐

	환자의사관계 채점항목	아주우수	우수	보통	미흡
1	효율적으로 잘 물어보았다. - 효율적 질문 : 개방형 질문 사용, 확인, 중간 요약 - 피할 질문 : 유도 질문, 복수 질문	☐	☐	☐	☐
2	나의 말을 잘 들어주었다. - 대꾸하기, 경청 자세, 눈 맞춤 & 말 가로채지 않기	☐	☐	☐	☐
3	나의 입장을 이해하려고 노력하였다. - 공감 표현, 나의 입장 파악	☐	☐	☐	☐
4	환자가 이해하기 쉽게 설명하였다. - 간단명료함, 이해도 점검, 질문 기회 & 쉬운 용어	☐	☐	☐	☐
5	나와 좋은 유대 관계를 형성하려고 했다. - 자기소개, 일상 대화, 존중, 자신감 & 신뢰감	☐	☐	☐	☐

12-2 배변이상(변비)

L O S T 변 일주일에 몇 번 Co Ex C 힘주기/항문 막힘/손가락/딱딱/색깔/잔변감/정도 F Asso 전신/소화/항문/정신/내분비	약물력 변비약 과거력 HTN/당뇨/간/소화기 외상력 복부/항문/척추외상 복부/항문수술, 척추마취 사회력 식사, 운동 가족력 비슷한 증상, 소화기 여성력
P/E 결막, 혀, 갑상샘, 목림프절, 복부, DRE 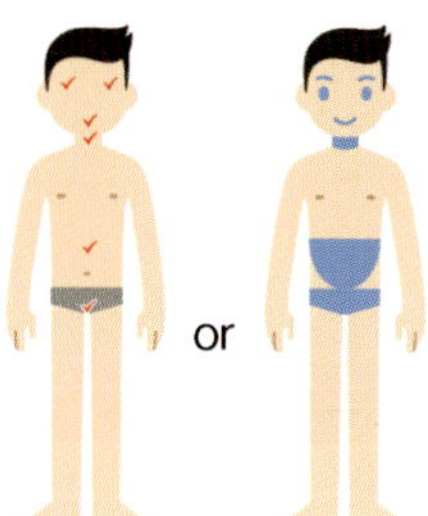 	**환자교육** 배변훈련 음식 섭취 교정, 물 섭취 증가 습관적 변비약 사용 지양

M·E·M·O

Check-list

	병력청취 채점항목	예	아니오
1	언제부터 변비가 시작되었는지, 일주일 간 대변 횟수에 대해서 물어보았다.	☐	☐
2	대변의 양상(과도한 힘 주는지, 딱딱한지, 손가락 관장 필요한지, 불완전 배변감 등)에 대해서 물어보았다.	☐	☐
3	완화/악화인자와 동반증상(복통, 항문 통증, 구토, 발열 등)을 물어보았다.	☐	☐
4	기질성 질환을 의심할 수 있는 증상(50세 이상, 체중변화, 혈변, 발열, 추위 불내성, 신경학적 증상 등)에 대해 물어보았다.	☐	☐
5	식이습관과 수분 섭취, 운동량에 대해서 물어보았다.	☐	☐
6	복용하는 약물(아편제제, 철분제, 항고혈압제, 변비약 등)에 대해서 물어보았다.	☐	☐
7	과거력, 가족력, 음주 및 흡연력에 대해서 물어보았는가?	☐	☐

	신체진찰 채점항목	제대로 함	제대로 못함	하지 않음
1	결막, 공막, 피부 상태를 확인하였는가?	☐	☐	☐
2	갑상샘을 촉진하였는가?	☐	☐	☐
3	복부 진찰 시 환자의 오른쪽에서 올바른 자세를 잡고 시진을 수행하였는가?	☐	☐	☐
4	복부 진찰 시에 장음 청진 및 타진을 수행하였는가?	☐	☐	☐
5	복부 진찰 시에 촉진 및 간·비장 비대를 확인하였는가?	☐	☐	☐
6	직장 수지 검사를 시행하였는가?	☐	☐	☐

	환자교육 채점항목	예	아니오
1	변비의 원인에 대하여 설명하였는가?	☐	☐
2	필요한 진단 방법과 치료방법을 설명하고 동의를 구하였는가?	☐	☐
3	기질성 질환의 가능성을 설명하였는가?	☐	☐
4	생활 습관(식습관, 음주, 규칙적 운동 등)에 대해서 설명하였는가?	☐	☐

	환자의사관계 채점항목	아주우수	우수	보통	미흡
1	효율적으로 잘 물어보았다. - 효율적 질문 : 개방형 질문 사용, 확인, 중간 요약 - 피할 질문 : 유도 질문, 복수 질문	☐	☐	☐	☐
2	나의 말을 잘 들어주었다. - 대꾸하기, 경청 자세, 눈 맞춤 & 말 가로채지 않기	☐	☐	☐	☐
3	나의 입장을 이해하려고 노력하였다. - 공감 표현, 나의 입장 파악	☐	☐	☐	☐
4	환자가 이해하기 쉽게 설명하였다. - 간단명료함, 이해도 점검, 질문 기회 & 쉬운 용어	☐	☐	☐	☐
5	나와 좋은 유대 관계를 형성하려고 했다. - 자기소개, 일상 대화, 존중, 자신감 & 신뢰감	☐	☐	☐	☐

13 토 혈

L O S T Co Ex C 감별진단/양/색/피떡/음식물 F 과음 Asso 응급/전신/소화/출혈경향	약물력 진통제, 항응고제, 항혈소판제 과거력 HTN/당뇨/간/위 외상력 복부외상, 복부수술 사회력 가족력 비슷한 증상, 소화기 여성력
P/E 전신 출혈부위, 결막, 공막, 비강, 인후두, 거미혈관종/손바닥홍반, 복부, DRE 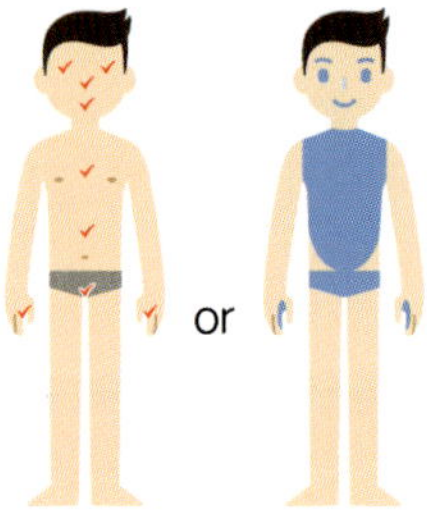 	환자교육 어지럽거나 숨차면 내원 위내시경 필요성 재출혈 가능성 평가 금주

M·E·M·O

Check-list

	병력청취 채점항목	예	아니오
1	토혈이 언제, 어떤 상황(과음 등)에서 발생했는지 물어보았는가?	☐	☐
2	토혈과 객혈을 감별하였는가?	☐	☐
3	토혈의 양상(색, 양)과 거품, 음식물이 섞여있는지 물어보았는가?	☐	☐
4	동반증상(어지러움이나 호흡곤란 ,구토, 두근거림, 호흡곤란, 발열, 체중감소, 식은땀 등)을 물어보았는가?	☐	☐
5	최근 대변 색깔 및 간질환의 합병증(복수, 황달, 복막염 등)에 대하여 물어보았는가?	☐	☐
6	간질환(간염 또는 간경화)을 포함한 소화기계 질환(소화성궤양)의 과거력 및 가족력에 대해서 물어보았는가?	☐	☐
7	복용하는 약물과 출혈경향에 대해서 물어보았는가?	☐	☐
8	음주 및 흡연력에 대해서 물어보았는가?	☐	☐

	신체진찰 채점항목	제대로 함	제대로 못함	하지 않음
1	혈압, 맥박을 확인하여 응급상황 여부를 확인하였는가?	☐	☐	☐
2	결막, 공막, 구강을 시진하여 상태를 확인하였는가?	☐	☐	☐
3	복부 진찰 시 오른쪽에서 올바른 자세를 잡고 시진을 수행하였는가?	☐	☐	☐
4	복부 진찰 시에 환자의 복부 팽만 여부와 복수를 확인하였는가?	☐	☐	☐
5	복부 진찰 시에 촉진을 통해 압통 여부와 간, 비장 비대를 확인하였는가?	☐	☐	☐
6	손가락직장 검사를 시행하였는가?	☐	☐	☐

	환자교육 채점항목	예	아니오
1	토혈의 원인에 대하여 설명하였는가?	☐	☐
2	대량 토혈의 위험성과 응급상황이 발생시에 신속히 병원으로 오라고 설명하였는가?	☐	☐
3	필요한 진단 방법과 치료방법을 설명하고 동의를 구하였는가?	☐	☐
4	간질환의 합병증과 금주, 정기검진의 중요성을 설명하였는가?	☐	☐

	환자의사관계 채점항목	아주우수	우수	보통	미흡
1	효율적으로 잘 물어보았다. – 효율적 질문 : 개방형 질문 사용, 확인, 중간 요약 – 피할 질문 : 유도 질문, 복수 질문	☐	☐	☐	☐
2	나의 말을 잘 들어주었다. – 대꾸하기, 경청 자세, 눈 맞춤 & 말 가로채지 않기	☐	☐	☐	☐
3	나의 입장을 이해하려고 노력하였다. – 공감 표현, 나의 입장 파악	☐	☐	☐	☐
4	환자가 이해하기 쉽게 설명하였다. – 간단명료함, 이해도 점검, 질문 기회 & 쉬운 용어	☐	☐	☐	☐
5	나와 좋은 유대 관계를 형성하려고 했다. – 자기소개, 일상 대화, 존중, 자신감 & 신뢰감	☐	☐	☐	☐

14 혈 변

L O S T Co Ex C 양/색/변에 섞여서 or 겉에만 F Asso 응급/전신/소화/항문/출혈경향	약물력 항응고제, 항혈소판제 과거력 HTN/당뇨/간/심혈관 외상력 복부/항문외상, 복부/항문수술 사회력 가족력 비슷한 증상, 소화기 여성력
P/E 전신 출혈부위, 결막, 공막, 혀, 복부, DRE 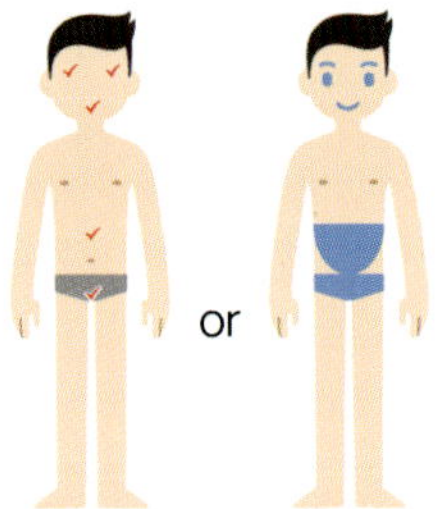 	환자교육 어지럽거나 숨차면 내원 대장내시경 필요성 항문-좌욕, 배변습관 교정, 식습관 개선 암의 가능성 설명

M·E·M·O

Check-list

	병력청취 채점항목	예	아니오
1	혈변이 언제, 어떤 양상(색, 양, 대변에 섞였는지, 겉에 묻어나오는지 등)에 대해서 물어보았는가?	☐	☐
2	항문 질환(항문 통증, 고름 등)에 대해서 물어보았는가?	☐	☐
3	동반증상(구토, 두근거림, 호흡곤란, 발열, 체중감소, 식은땀 등)을 물어보았는가?	☐	☐
4	악성신생물을 의심할 수 있는 증상(대변의 굵기 변화, 뒤무직 증상, 배변습관 변화, 덩어리, 체중 변화 등)에 대해서 물어보았는가?	☐	☐
5	대장암, 가족성 대장샘종증을 포함한 소화기계 질환의 과거력 및 가족력에 대해서 물어보았는가?	☐	☐
6	복용하는 약물(아스피린, 플라빅스, 와파린, 진통제 등)과 출혈경향에 대해서 물어보았는가?	☐	☐
7	식이습관, 운동, 음주 및 흡연력에 대해서 물어보았는가?	☐	☐

	신체진찰 채점항목	제대로 함	제대로 못함	하지 않음
1	혈압, 맥박을 확인하여 응급상황 여부를 확인하였는가?	☐	☐	☐
2	결막, 공막, 피부를 시진하여 상태를 확인하였는가?	☐	☐	☐
3	복부 진찰 시 환자의 오른쪽에서 올바른 자세를 잡고 시진을 수행하였는가?	☐	☐	☐
4	복부 진찰 시에 복부 압통 및 덩어리를 확인하였는가?	☐	☐	☐
5	복부 진찰 시에 간, 비장 비대를 확인하였는가?	☐	☐	☐
6	손가락직장 검사를 시행하였는가?	☐	☐	☐

	환자교육 채점항목	예	아니오
1	혈변의 원인에 대하여 설명하였는가?	☐	☐
2	악성신생물의 가능성에 대해서 설명하였는가?	☐	☐
3	필요한 진단 방법과 치료방법을 설명하고 동의를 구하였는가?	☐	☐
4	간질환의 합병증과 금주, 정기검진의 중요성을 설명하였는가?	☐	☐

	환자의사관계 채점항목	아주우수	우수	보통	미흡
1	효율적으로 잘 물어보았다. - 효율적 질문 : 개방형 질문 사용, 확인, 중간 요약 - 피할 질문 : 유도 질문, 복수 질문	☐	☐	☐	☐
2	나의 말을 잘 들어주었다. - 대꾸하기, 경청 자세, 눈 맞춤 & 말 가로채지 않기	☐	☐	☐	☐
3	나의 입장을 이해하려고 노력하였다. - 공감 표현, 나의 입장 파악	☐	☐	☐	☐
4	환자가 이해하기 쉽게 설명하였다. - 간단명료함, 이해도 점검, 질문 기회 & 쉬운 용어	☐	☐	☐	☐
5	나와 좋은 유대 관계를 형성하려고 했다. - 자기소개, 일상 대화, 존중, 자신감 & 신뢰감	☐	☐	☐	☐

15 황 달

L O S T Co Ex C 감별진단/색/소변색/대변색 F 날것/여행/단체생활 Asso 전신/소화/용혈	약물력 약, 한약, 약초, 건강보조식품 과거력 HTN/당뇨/간/빈혈 간염예방접종, 수혈 외상력 사회력 가족력 비슷한 증상, 소화기 여성력
P/E 결막, 공막, 목/배꼽주위 림프절, 거미혈관종/손바닥 홍반, 복부, Murphy, Courvoisier, Flapping tremor 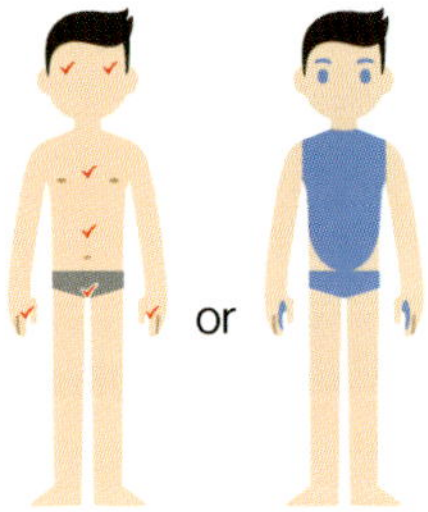	환자교육 심한 가려움증엔 콜레스티라민 약물/건강식품 중단 적절한 음주 습관

M·E·M·O

Check-list

	병력청취 채점항목	예	아니오
1	황달이 언제, 어느 부위(얼굴, 눈, 손, 발 등)에서 나타났는지에 대해서 물어보았다.	☐	☐
2	황달의 발생상황(과음, 날음식, 여행, 군대 등 단체생활 등)과 귤, 오렌지 등 가성황달에 대하여 물어보았다.	☐	☐
3	동반증상(복통, 가려움증, 오심, 구토, 소변색 변화, 토혈, 변비, 설사 등)에 대해서 물어보았다.	☐	☐
4	간질환여부(바이러스간염, 간경화 등)와 담도계질환, 간염바이러스 예방접종 및 항체 여부에 대해서 물어보았다.	☐	☐
5	가족 중 간질환여부(바이러스간염, 간경화 등)와 담도계질환에 대해서 물어보았다.	☐	☐
6	복용하는 약물과 민간요법, 한약 등에 대해서 물어보았다.	☐	☐
7	직업, 여행력, 음주 및 흡연력에 대해서 물어보았다.	☐	☐

	신체진찰 채점항목	제대로 함	제대로 못함	하지 않음
1	결막, 공막, 손바닥을 시진하였는가?	☐	☐	☐
2	손바닥 퍼덕떨림(flapping tremor)을 확인하였는가?	☐	☐	☐
3	복부 진찰 시 환자의 오른쪽에서 올바른 자세를 잡고 시진을 수행하였는가?	☐	☐	☐
4	복부 진찰 시에 환자의 복부 팽만 여부와 복수를 확인하였는가?	☐	☐	☐
5	복부 진찰 시에 촉진을 통해 압통 여부와 간, 비장 비대를 확인하였는가?	☐	☐	☐
6	손가락직장 검사 및 갈비척추각 압통 검사를 시행하였는가?	☐	☐	☐

	환자교육 채점항목	예	아니오
1	황달의 원인과 가성황달에 대하여 설명하였는가?	☐	☐
2	간염바이러스 예방 접종 및 항체 측정에 대해서 설명하였는가?	☐	☐
3	필요한 진단 방법과 치료방법을 설명하고 동의를 구하였는가?	☐	☐
4	황달을 일으킬 수 있는 간질환의 합병증과 금주의 중요성을 설명하였는가?	☐	☐

	환자의사관계 채점항목	아주우수	우수	보통	미흡
1	효율적으로 잘 물어보았다. – 효율적 질문 : 개방형 질문 사용, 확인, 중간 요약 – 피할 질문 : 유도 질문, 복수 질문	☐	☐	☐	☐
2	나의 말을 잘 들어주었다. – 대꾸하기, 경청 자세, 눈 맞춤 & 말 가로채지 않기	☐	☐	☐	☐
3	나의 입장을 이해하려고 노력하였다. – 공감 표현, 나의 입장 파악	☐	☐	☐	☐
4	환자가 이해하기 쉽게 설명하였다. – 간단명료함, 이해도 점검, 질문 기회 & 쉬운 용어	☐	☐	☐	☐
5	나와 좋은 유대 관계를 형성하려고 했다. – 자기소개, 일상 대화, 존중, 자신감 & 신뢰감	☐	☐	☐	☐

CLINICAL PERFORMANCE EXAMINATION

04

CHAPTER

신장 · 비뇨

16-1 소변량변화(다뇨)

L　　C 빈뇨와 감별 O　　F 물 섭취 강박 S　　Asso 전신/탈수/중추성 T　　당뇨/요독증 Co　　FUND-HIS/외음부 Ex	약물력 리튬 과거력 정신과 진료 외상력 사회력 커피, 녹차 가족력 여성력
P/E 눈/입/피부긴장도, 시야장애, 복부, CVAT, 하지 부종 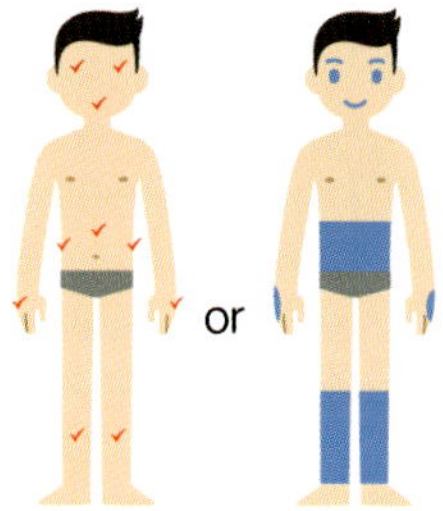 	환자교육 탈수 교육 커피, 음주 X HTN/DM/HL 관리

M·E·M·O

Check-list

	병력청취 채점항목		예	아니오
1	다뇨의 정의에 합당한지, 빈뇨와 감별하여 확인하였다.		☐	☐
2	배뇨 횟수와 소변의 양상에 대하여 물어보았다.		☐	☐
3	동반증상에 대하여 물어보았다(갈증, 배뇨이상 등).		☐	☐
4	증상의 경과에 대하여 물어보았다.		☐	☐
5	당뇨/고혈압을 포함한 현병력에 대하여 물어보았다.		☐	☐
6	복용중인 약물이 있는지 물어보았다.		☐	☐
7	두부 외상이나 수술력에 대하여 물어보았다.		☐	☐
	신체진찰 채점항목	**제대로 함**	**제대로 못함**	**하지 않음**
1	탈수 증상이 있는지 확인하였다.	☐	☐	☐
2	두경부 질환을 감별하기 위한 신경학적 진찰을 시행하였다.	☐	☐	☐
3	복부 진찰을 시행하였다.	☐	☐	☐
4	방광의 팽창 여부를 확인하였다.	☐	☐	☐
	환자교육 채점항목		**예**	**아니오**
1	다뇨의 원인에 대하여 설명하였다.		☐	☐
2	진단에 필요한 검사를 설명하고 동의를 구하였다.		☐	☐
3	원인에 따른 치료원칙을 설명하였다.		☐	☐
4	탈수예방법에 대하여 교육하였다.		☐	☐

	환자의사관계 채점항목	아주우수	우수	보통	미흡
1	효율적으로 잘 물어보았다. - 효율적 질문 : 개방형 질문 사용, 확인, 중간 요약 - 피할 질문 : 유도 질문, 복수 질문	☐	☐	☐	☐
2	나의 말을 잘 들어주었다. - 대꾸하기, 경청 자세, 눈 맞춤 & 말 가로채지 않기	☐	☐	☐	☐
3	나의 입장을 이해하려고 노력하였다. - 공감 표현, 나의 입장 파악	☐	☐	☐	☐
4	환자가 이해하기 쉽게 설명하였다. - 간단명료함, 이해도 점검, 질문 기회 & 쉬운 용어	☐	☐	☐	☐
5	나와 좋은 유대 관계를 형성하려고 했다. - 자기소개, 일상 대화, 존중, 자신감 & 신뢰감	☐	☐	☐	☐

16-2 소변량변화(핍뇨)

L O S T Co Ex C 양/색/냄새/거품/피 F 물 섭취량 사우나/심한 운동 Asso 전신 탈수(신전성)/신성 요독증/FUND-HIS	약물력 ACEi/ARB/NSAID 과거력 조영제/신장이식 외상력 도뇨관 사회력 가족력 여성력
P/E 눈/입/피부긴장도, 심음/호흡음, 복부, CVAT, DRE, 하지 부종 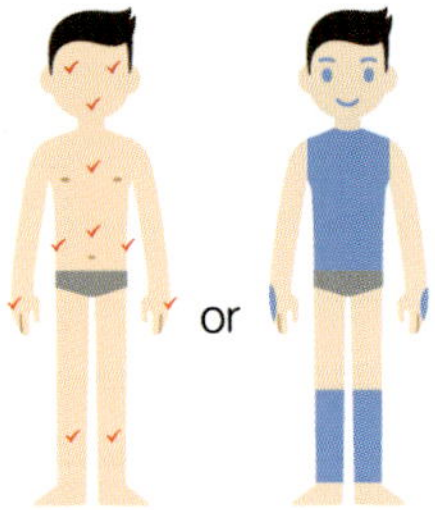 	환자교육 탈수 교육 신장 독성 약 중단하기 투석치료 필요할 수 있음 설명

M·E·M·O

Check-list

	병력청취 채점항목	예	아니오
1	핍뇨에 합당한지 파악하였다(400~500mL/day).	☐	☐
2	탈수를 유발하는 증상이나 요인이 있는지 확인하였다(신전성).	☐	☐
3	발열, 근육통, 옆구리 통증 등의 감염 징후를 확인하였다(신성).	☐	☐
4	조영제, 진통제 등의 신독성 약물력을 확인하였다(신성).	☐	☐
5	비뇨기의 기계적 폐색에 관련된 증상을 물어보았다(신후성).	☐	☐
6	동반되는 증상을 물어보았다.	☐	☐

	신체진찰 채점항목	제대로 함	제대로 못함	하지 않음
1	구강, 혀, 피부긴장도 등을 통해 탈수 여부를 확인하였다.	☐	☐	☐
2	흉부 진찰을 통해 폐/심음을 청진하였다.	☐	☐	☐
3	복부 진찰을 시행하였다.	☐	☐	☐
4	오목부종을 확인하였다.	☐	☐	☐

	환자교육 채점항목	예	아니오
1	핍뇨를 일으킬 수 있는 원인에 대하여 설명한다.	☐	☐
2	의심되는 요인과 진단에 필요한 검사를 설명한다.	☐	☐
3	치료계획과 급성 신부전의 임상경과에 대하여 설명한다.	☐	☐
4	필요한 경우 응급 혈액투석을 시행할 수도 있음을 설명한다.	☐	☐

	환자의사관계 채점항목	아주우수	우수	보통	미흡
1	효율적으로 잘 물어보았다. - 효율적 질문 : 개방형 질문 사용, 확인, 중간 요약 - 피할 질문 : 유도 질문, 복수 질문	☐	☐	☐	☐
2	나의 말을 잘 들어주었다. - 대꾸하기, 경청 자세, 눈 맞춤 & 말 가로채지 않기	☐	☐	☐	☐
3	나의 입장을 이해하려고 노력하였다. - 공감 표현, 나의 입장 파악	☐	☐	☐	☐
4	환자가 이해하기 쉽게 설명하였다. - 간단명료함, 이해도 점검, 질문 기회 & 쉬운 용어	☐	☐	☐	☐
5	나와 좋은 유대 관계를 형성하려고 했다. - 자기소개, 일상 대화, 존중, 자신감 & 신뢰감	☐	☐	☐	☐

17 배뇨 이상

L O S 복압성/절박성 T Co Ex C FUND-HIS 양/색/냄새/거품/피 F 추위/최근 감기/ 성접촉력/DIAPPERS Asso 전신/신장, 방광 신경/외음부	약물력 과거력 요로 결석 외상력 척추 외상 사회력 가족력 여성력 자연 분만
P/E 눈/입, 복부, CVAT, 골반 진찰, DRE 하지 감각/운동/DTR 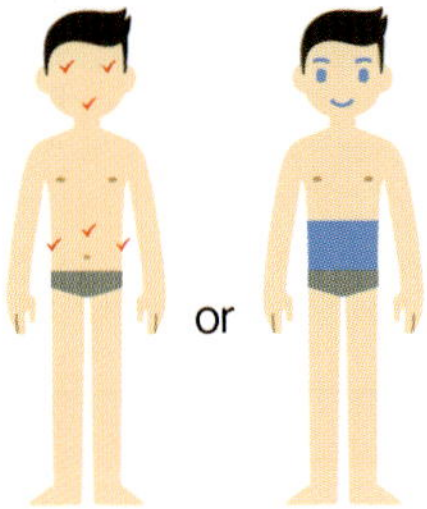	환자교육 커피, 음주 X 체중 조절 항문은 앞에서 뒤로 세척 오래 앉아있지 말기 케겔 운동, 무거운 물건 드는 것 X

M·E·M·O

Check-list

	병력청취 채점항목	예	아니오
1	언제부터 증상이 시작되었는지 물어보았다.	☐	☐
2	어떤 점이 불편한지 구체적으로 물어보았다.	☐	☐
3	동반증상이 있는지 물어보았다(발열/오한, 절박뇨, 빈뇨, 핍뇨, 혈뇨, 단백뇨, 통증 등).	☐	☐
4	소변의 양상에 대하여 물어보았다(요실금의 경우 소변이 새는 상황도).	☐	☐
5	최근 성접촉 경험에 대하여 물어보았다.	☐	☐
6	(여성) 질분비물이나 냄새, 가려움이 있는지 물어보았다. (남성) 통증, 가려움 등이 있는지 물어보았다.	☐	☐
7	복용중인 약물이 있는지 물어보았다.	☐	☐
8	앓고 있는 질환에 대하여 물어보았다.	☐	☐
9	여성의 경우 산부인과력 특히 출산력과 분만방식에 대하여 물어보았다.	☐	☐

	신체진찰 채점항목	제대로 함	제대로 못함	하지 않음
1	복부진찰을 시행하였다.	☐	☐	☐
2	옆구리 통증 및 CVAT를 확인하였다.	☐	☐	☐
3	DRE를 시행하였다.	☐	☐	☐
4	하지의 감각 및 운동, 반사 이상을 확인하였다.	☐	☐	☐

	환자교육 채점항목	예	아니오
1	배뇨이상을 일으킬 수 있는 원인에 대하여 설명하였다.	☐	☐
2	원인을 파악하기 위한 검사를 설명하고 동의를 구하였다.	☐	☐
3	예상되는 질환의 치료에 대해 설명하였다.	☐	☐
4	요로계 감염증의 합병증과 예방법에 대하여 설명하였다.	☐	☐

	환자의사관계 채점항목	아주우수	우수	보통	미흡
1	효율적으로 잘 물어보았다. – 효율적 질문 : 개방형 질문 사용, 확인, 중간 요약 – 피할 질문 : 유도 질문, 복수 질문	☐	☐	☐	☐
2	나의 말을 잘 들어주었다. – 대꾸하기, 경청 자세, 눈 맞춤 & 말 가로채지 않기	☐	☐	☐	☐
3	나의 입장을 이해하려고 노력하였다. – 공감 표현, 나의 입장 파악	☐	☐	☐	☐
4	환자가 이해하기 쉽게 설명하였다. – 간단명료함, 이해도 점검, 질문 기회 & 쉬운 용어	☐	☐	☐	☐
5	나와 좋은 유대 관계를 형성하려고 했다. – 자기소개, 일상 대화, 존중, 자신감 & 신뢰감	☐	☐	☐	☐

18 붉은색 소변

<table>
<tr>
<td>L
O
S
T
Co
Ex</td>
<td>C 양/색/냄새/거품
피 초반 vs 끝/피떡
F 심한 운동/사우나/
최근 감기
Asso 전신/탈수/출혈
신장/비뇨/외음부</td>
<td>약물력 결핵약(리팜핀)
과거력 요로 결석
외상력
사회력
가족력
여성력</td>
</tr>
<tr>
<td colspan="2">P/E 눈/입/피부 긴장도, 복부, CVAT, 골반 진찰, DRE,
하지 부종
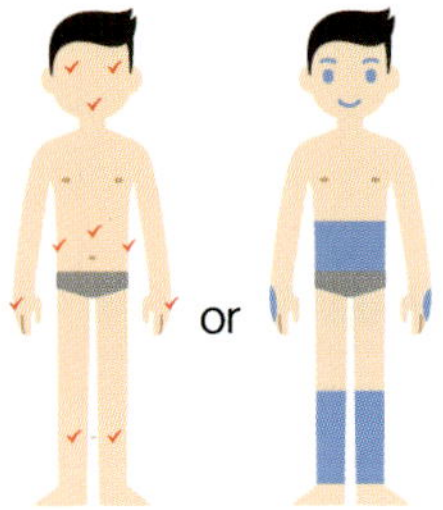
</td>
<td>환자교육
탈수 교육
금연 교육
물 많이 마시기
신장 독성 약 중단하기</td>
</tr>
</table>

M·E·M·O

Check-list

	병력청취 채점항목	예	아니오
1	언제부터 나타났는지 물어보았다.	☐	☐
2	양상(색깔, 냄새, 거품/혈괴 동반, 소변의 초반/후반 등)에 대하여 물어보았다.	☐	☐
3	옆구리, 또는 아랫배 통증이 동반되는지 물어보았다.	☐	☐
4	최근 무리한 운동을 했거나, 운동 후 발생하였는지 물어보았다.	☐	☐
5	최근 감기몸살 등의 감염력이 있었는지 물어보았다.	☐	☐
6	붉은색 소변 외 소변 볼 때 불편한 증상에 대하여 물어보았다.	☐	☐
7	복용 중인 약물이 있는지 물어보았다.	☐	☐

	신체진찰 채점항목	제대로 함	제대로 못함	하지 않음
1	결막을 시진하였다.	☐	☐	☐
2	구강 진찰을 시행하였다.	☐	☐	☐
3	복부 진찰을 시행하였다.	☐	☐	☐
4	늑골척추각 압통(CVAT) 유무를 확인하였다.	☐	☐	☐
5	양 다리를 촉진하고 오목부종을 확인하였다.	☐	☐	☐

	환자교육 채점항목	예	아니오
1	혈뇨를 일으킬 수 있는 원인에 대하여 설명하였다.	☐	☐
2	필요한 검사를 설명하고 동의를 구하였다.	☐	☐
3	원인에 따른 치료원칙을 설명하였다.	☐	☐
4	현재 질병이 진행하여 발생 가능한 문제를 설명하였다.	☐	☐

	환자의사관계 채점항목	아주우수	우수	보통	미흡
1	효율적으로 잘 물어보았다. – 효율적 질문 : 개방형 질문 사용, 확인, 중간 요약 – 피할 질문 : 유도 질문, 복수 질문	☐	☐	☐	☐
2	나의 말을 잘 들어주었다. – 대꾸하기, 경청 자세, 눈 맞춤 & 말 가로채지 않기	☐	☐	☐	☐
3	나의 입장을 이해하려고 노력하였다. – 공감 표현, 나의 입장 파악	☐	☐	☐	☐
4	환자가 이해하기 쉽게 설명하였다. – 간단명료함, 이해도 점검, 질문 기회 & 쉬운 용어	☐	☐	☐	☐
5	나와 좋은 유대 관계를 형성하려고 했다. – 자기소개, 일상 대화, 존중, 자신감 & 신뢰감	☐	☐	☐	☐

04 CHAPTER

CLINICAL PERFORMANCE EXAMINATION

05

CHAPTER

내분비 · 전신증상

19 체중감소

L O S 의도? 일차성? T Co Ex C 키/몸무게/허리둘레 F Asso 소화기, 내분비, 호흡기, 정신	약물력 과거력 외상력 사회력 식사, 운동량 가족력 여성력
P/E 눈/입/목, 흉부, 복부, DRE(모형) 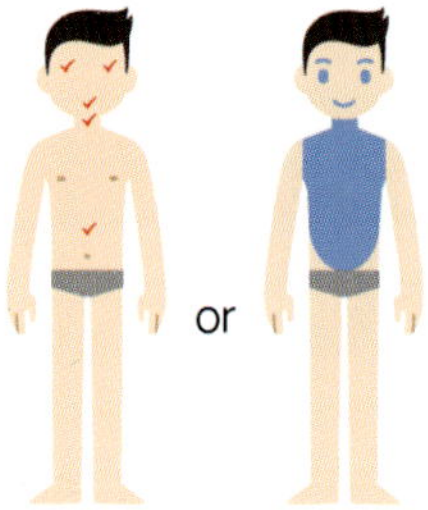 	환자교육 식습관 운동 혈당조절(당뇨)

M·E·M·O

Check-list

	병력청취 채점항목	예	아니오
1	언제부터 체중이 감소했는지 물어보았다.	☐	☐
2	처음 체중과 현재 체중을 비교하여 얼마동안 몇 kg 감소했는지 확인하고, 갑자기 빠진 것인지 서서히 빠진 것인지 물어보았다.	☐	☐
3	식이, 운동 등으로 체중 조절중이거나, 최근 걱정거리나 스트레스 요인이 있는지 물어보았다.	☐	☐
4	동반증상에 대하여 물어보았다(다음/다뇨/다갈, 더위 불내성/불안/짜증/두근거림, 우울/피곤/식욕저하, 오심/구토/설사/변비 등).	☐	☐
5	복용중인 약물이 있는지 물어보았다.	☐	☐
6	현재 앓고 있는 질환이나 과거력에 대하여 물어보았다.	☐	☐
7	가족 중 암이나 당뇨, 결핵을 앓은 사람이 있는지 물어보았다.	☐	☐

	신체진찰 채점항목	제대로 함	제대로 못함	하지 않음
1	전반적인 상태를 확인하고, 의미있는 체중감소 판단을 위해 신장, 체중, BMI를 계산하였다.	☐	☐	☐
2	안구 돌출 및 결막 공막을 확인하였다.	☐	☐	☐
3	두경부 검사시 갑상샘을 진찰하였다.	☐	☐	☐
4	흉부 진찰에서 호흡음을 청진하였다.	☐	☐	☐
5	복부 진찰을 시행하였다.	☐	☐	☐
6	항문직장진찰을 모형에 시행하였다.	☐	☐	☐

	환자교육 채점항목	예	아니오
1	의미있는 체중감소에 대하여 설명하였다.	☐	☐
2	의심되는 원인과 필요한 검사와 치료에 대하여 설명하였다.	☐	☐
3	심각한 체중감소의 경우 경구식이 등을 통한 치료의 필요성을 설명하였다.	☐	☐

	환자의사관계 채점항목	아주우수	우수	보통	미흡
1	효율적으로 잘 물어보았다. - 효율적 질문 : 개방형 질문 사용, 확인, 중간 요약 - 피할 질문 : 유도 질문, 복수 질문	☐	☐	☐	☐
2	나의 말을 잘 들어주었다. - 대꾸하기, 경청 자세, 눈 맞춤 & 말 가로채지 않기	☐	☐	☐	☐
3	나의 입장을 이해하려고 노력하였다. - 공감 표현, 나의 입장 파악	☐	☐	☐	☐
4	환자가 이해하기 쉽게 설명하였다. - 간단명료함, 이해도 점검, 질문 기회 & 쉬운 용어	☐	☐	☐	☐
5	나와 좋은 유대관계를 형성하려고 했다. - 자기소개, 일상 대화, 존중, 자신감 & 신뢰감	☐	☐	☐	☐

20 체중증가 · 비만

L O S 식사량, 운동 T Co Ex C 사지? 중심성? F Asso 부종(간, 심, 신), 내분비, 정신	약물력 스테로이드!! 정신과약 호르몬제 과거력 외상력 사회력 식습관, 운동 가족력 여성력
P/E 눈/목, 흉부, 복부, 사지, 허리둘레! 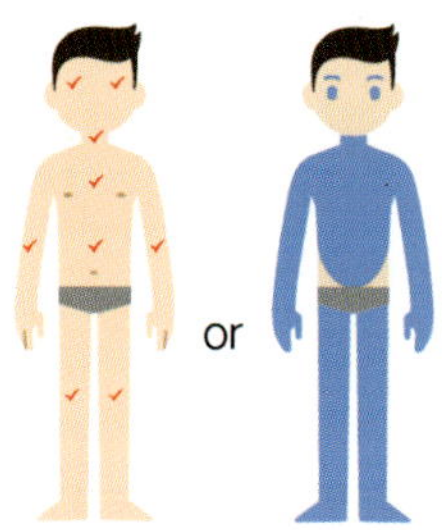 	환자교육 TFT 저염분, 규칙적

M·E·M·O

Check-list

	병력청취 채점항목	예	아니오
1	체중증가의 정도와 속도에 대하여 물어보았다.	☐	☐
2	최근 식이에 변화가 있었는지 물어보았다(식사량, 횟수, 기름진 음식, 보충제 등).	☐	☐
3	최근 운동여부나 활동량의 변화가 있었는지 물어보았다.	☐	☐
4	최근 심하게 스트레스를 받는 일이 있었는지 물어보았다.	☐	☐
5	동반증상이 있는지 물어보았다(피로감, 추위 불내성, 변비, 부종, 멍이 잘 듦, 호흡곤란 등).	☐	☐
6	내분비계/신장 포함, 앓고 있는 질환이 있는지 물어보았다.	☐	☐
7	복용중인 약물이 있는지 물어보았다.	☐	☐
8	여성의 경우 임신 가능성이 있는지 물어보았다.	☐	☐

	신체진찰 채점항목	제대로 함	제대로 못함	하지 않음
1	키/체중, 복부둘레를 확인하고 BMI를 계산하였다.	☐	☐	☐
2	갑상샘 진찰을 시행하였다.	☐	☐	☐
3	비만의 유형을 확인하였다.	☐	☐	☐
4	호흡음과 심음을 청진하였다.	☐	☐	☐
5	복부 진찰을 시행하였다.	☐	☐	☐
6	하지부종을 확인하였다.	☐	☐	☐

	환자교육 채점항목	예	아니오
1	현재 비만 정도와 체중증가의 원인에 대하여 설명하였다.	☐	☐
2	필요한 검사와 결과에 다른 치료계획을 설명하였다.	☐	☐
3	과체중 또는 비만에 따른 건강위험도와 동반할 수 있는 병적 상태를 설명하였다.	☐	☐
4	식이요법, 운동 등의 생활습관 교정에 대하여 교육하였다.	☐	☐

	환자의사관계 채점항목	아주우수	우수	보통	미흡
1	효율적으로 잘 물어보았다. – 효율적 질문 : 개방형 질문 사용, 확인, 중간 요약 – 피할 질문 : 유도 질문, 복수 질문	☐	☐	☐	☐
2	나의 말을 잘 들어주었다. – 대꾸하기, 경청 자세, 눈 맞춤 & 말 가로채지 않기	☐	☐	☐	☐
3	나의 입장을 이해하려고 노력하였다. – 공감 표현, 나의 입장 파악	☐	☐	☐	☐
4	환자가 이해하기 쉽게 설명하였다. – 간단명료함, 이해도 점검, 질문 기회 & 쉬운 용어	☐	☐	☐	☐
5	나와 좋은 유대 관계를 형성하려고 했다. – 자기소개, 일상 대화, 존중, 자신감 & 신뢰감	☐	☐	☐	☐

21 발 열

L	C	약물력
O	F 해열제 효과	과거력 예방접종!
S 여행, 야외활동, 벌레, 해산물	Asso 피부 발진	외상력
		사회력 직업, 사는곳!
T 지속? 완화/악화?		가족력
Co		여성력
Ex		

P/E 눈/입/목, 부비동, 피부 + 증상부위	환자교육
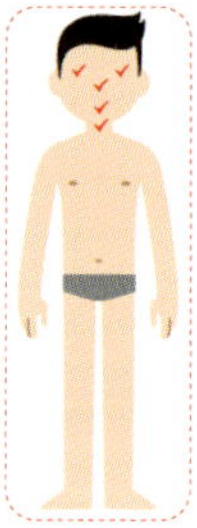 or 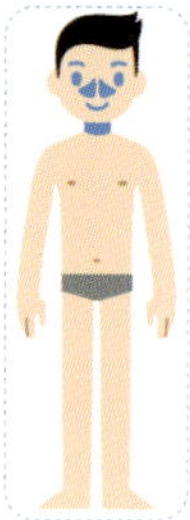	개인위생 유행지역 예방접종 응급

M·E·M·O

Check-list

	병력청취 채점항목	예	아니오
1	열감인지 실제 측정한 체온이 높은지 확인하였다.	☐	☐
2	언제부터 시작하였고, 주기성이 있는지, 점점 심해지는지 물어보았다.	☐	☐
3	동반증상을 물어보았다.	☐	☐
4	최근 여행력, 접촉력, 직업력 및 예방접종력에 대해 물어보았다.	☐	☐
5	앓고 있는 질환에 대하여 물어보았다.	☐	☐
6	약물복용력에 대하여 물어보았다.	☐	☐

	신체진찰 채점항목	제대로 함	제대로 못함	하지 않음
1	체온을 포함한 활력징후를 확인하였다.	☐	☐	☐
2	전신 피부소견을 관찰하였다.	☐	☐	☐
3	결막 및 공막의 이상을 관찰하였다.	☐	☐	☐
4	경부강직을 확인하였다.	☐	☐	☐
5	복부 진찰을 시행하였다.	☐	☐	☐
6	림프절 종대를 확인하였다.	☐	☐	☐

	환자교육 채점항목	예	아니오
1	발열을 일으킨 원인과 그에 따른 치료원칙을 설명하였다.	☐	☐
2	필요한 검사를 설명하고 동의를 구하였다.	☐	☐
3	증상 발생시 필요한 조치를 설명하였다.	☐	☐
4	위생과 충분한 휴식을 교육하였다.	☐	☐

	환자의사관계 채점항목	아주우수	우수	보통	미흡
1	효율적으로 잘 물어보았다. – 효율적 질문 : 개방형 질문 사용, 확인, 중간 요약 – 피할 질문 : 유도 질문, 복수 질문	☐	☐	☐	☐
2	나의 말을 잘 들어주었다. – 대꾸하기, 경청 자세, 눈 맞춤 & 말 가로채지 않기	☐	☐	☐	☐
3	나의 입장을 이해하려고 노력하였다. – 공감 표현, 나의 입장 파악	☐	☐	☐	☐
4	환자가 이해하기 쉽게 설명하였다. – 간단명료함, 이해도 점검, 실문 기회 & 쉬운 용어	☐	☐	☐	☐
5	나와 좋은 유대 관계를 형성하려고 했다. – 자기소개, 일상 대화, 존중, 자신감 & 신뢰감	☐	☐	☐	☐

05 CHAPTER

22 피 로

L O S T Co Ex	C 어떻게 피로? 일상생활 지장? F 휴식, 운동 Asso 전신, 계통별, 만성피로증후군 수면장애	약물력 항우울제, 항고혈압제 과거력 외상력 사회력 운동 가족력 여성력
P/E 눈/입/목, 흉부, 간 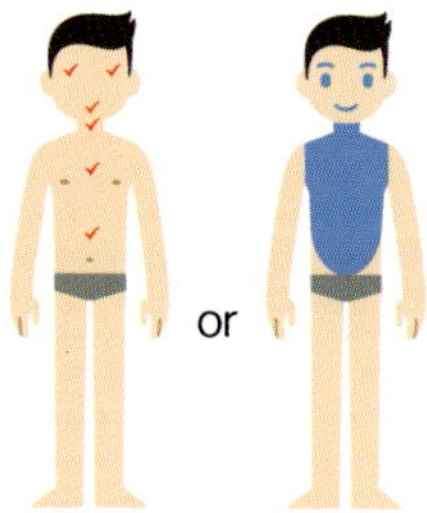 		환자교육 운동 수면위생!!

M·E·M·O

Check-list

	병력청취 채점항목	예	아니오
1	피로의 발생시기, 빈도, 주기성, 지속기간을 물어보았다.	☐	☐
2	피로의 양상(졸림, 힘이 빠짐, 무기력함 등)에 대하여 물어보았다.	☐	☐
3	피로를 악화 또는 완화시키는 요인을 물어보았다.	☐	☐
4	최근 수면시간, 수면패턴 등의 수면 위생을 물어보았다.	☐	☐
5	체중변화를 물어보았다.	☐	☐
6	앓고 있는 질환이 있는지 물어보았다.	☐	☐
7	복용 중인 약물이 있는지 물어보았다.	☐	☐
8	여성의 경우 월경력과 관계있는지 확인하였다.	☐	☐

	신체진찰 채점항목	제대로 함	제대로 못함	하지 않음
1	기본적인 외양, 영양상태, 병색 등을 관찰하였다.	☐	☐	☐
2	갑상샘 진찰을 시행하였다.	☐	☐	☐
3	두경부 림프절을 진찰하였다.	☐	☐	☐
4	심음 및 호흡음 청진을 시행하였다.	☐	☐	☐
5	양측 하지부종을 확인하였다.	☐	☐	☐

	환자교육 채점항목	예	아니오
1	피로를 일으킬 수 있는 원인을 설명한다.	☐	☐
2	필요한 검사를 설명하고 동의를 구한다.	☐	☐
3	원인에 따른 치료와 계획을 설명한다.	☐	☐

	환자의사관계 채점항목	아주우수	우수	보통	미흡
1	효율적으로 잘 물어보았다. - 효율적 질문 : 개방형 질문 사용, 확인, 중간 요약 - 피할 질문 : 유도 질문, 복수 질문	☐	☐	☐	☐
2	나의 말을 잘 들어주었다. - 대꾸하기, 경청 자세, 눈 맞춤 & 말 가로채지 않기	☐	☐	☐	☐
3	나의 입장을 이해하려고 노력하였다. - 공감 표현, 나의 입장 파악	☐	☐	☐	☐
4	환자가 이해하기 쉽게 설명하였다. - 간단명료함, 이해도 점검, 질문 기회 & 쉬운 용어	☐	☐	☐	☐
5	나와 좋은 유대 관계를 형성하려고 했다. - 자기소개, 일상 대화, 존중, 자신감 & 신뢰감	☐	☐	☐	☐

23 쉽게 멍이 듦

L 어디? O S 상기도감염 T Co Ex C 누르면? 통증/가려움 출혈경향 F Asso 혈소판. 응고인자, 간, 쿠싱, HSP	약물력 스테로이드, 소염제/아스피린, 헤파린, 와파린 **구체적으로!! 과거력 외상력 사회력 가족력 여성력
P/E 눈/입/목, 복부, 사지(꼼꼼히), 관절 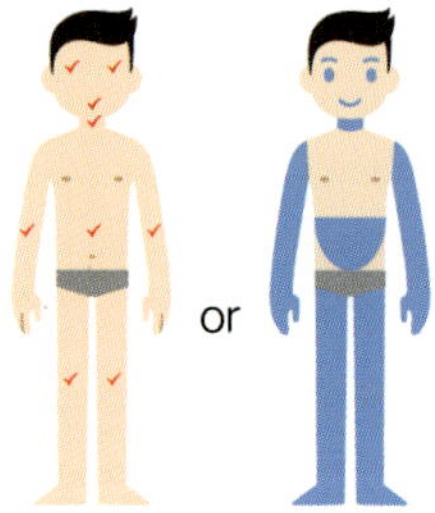 	환자교육 CBC PT/aPTT 출혈위험예방 응급

M·E·M·O

Check-list

	병력청취 채점항목	예	아니오
1	멍의 양상에 대하여 물어보았다(크기, 빈도, 색깔, 부위, 개수).	☐	☐
2	동반되는 다른 출혈이 있는지 물어보았다(잇몸출혈, 코피, 혈뇨/혈변, 월경과다, 혈관절 등).	☐	☐
3	그 외 동반증상이 있는지 물어보았다(호흡곤란, 피곤, 발열/(야간)발한, 체중감소, 두통/어지러움 등).	☐	☐
4	복용중인 약물이 있는지 구체적으로 물어보았다.	☐	☐
5	평소 출혈경향에 대하여 물어보았다.	☐	☐
6	외상 및 수술력에 대하여 물어보았다.	☐	☐
7	직업 및 흡연/음주력에 대하여 물어보았다.	☐	☐
8	가족 중 비슷한 증상이나 관련질환이 있는지 물어보았다.	☐	☐
9	여성의 경우 월경력에 대하여 물어보았다.	☐	☐

	신체진찰 채점항목	제대로 함	제대로 못함	하지 않음
1	멍이 있는 부위를 확인하고, 다른 부위에도 있는지 확인하였다.	☐	☐	☐
2	결막 및 공막을 시진하였다.	☐	☐	☐
3	구강과 잇몸을 진찰하였다.	☐	☐	☐
4	관절의 변형, 부종, 구축 등을 확인하였다.	☐	☐	☐
5	복부 진찰을 시행하였다.	☐	☐	☐

	환자교육 채점항목	예	아니오
1	멍이 발생하는 기전과 예상되는 원인에 대하여 설명하였다.	☐	☐
2	필요한 검사에 대하여 설명하고 동의를 구하였다.	☐	☐
3	출혈위험에 대한 관리원칙을 설명하였다(외상피하기 등).	☐	☐
4	응급상황을 의미하는 증상과 처치를 교육하였다.	☐	☐

	환자의사관계 채점항목	아주우수	우수	보통	미흡
1	효율적으로 잘 물어보았다. – 효율적 질문 : 개방형 질문 사용, 확인, 중간 요약 – 피할 질문 : 유도 질문, 복수 질문	☐	☐	☐	☐
2	나의 말을 잘 들어주었다. – 대꾸하기, 경청 자세, 눈 맞춤 & 말 가로채지 않기	☐	☐	☐	☐
3	나의 입장을 이해하려고 노력하였다. – 공감 표현, 나의 입장 파악	☐	☐	☐	☐
4	환자가 이해하기 쉽게 설명하였다. – 간단명료함, 이해도 점검, 질문 기회 & 쉬운 용어	☐	☐	☐	☐
5	나와 좋은 유대 관계를 형성하려고 했다. – 자기소개, 일상 대화, 존중, 자신감 & 신뢰감	☐	☐	☐	☐

CLINICAL PERFORMANCE EXAMINATION

06 CHAPTER

근골격 · 피부감각기

24-1 목 통증
24-2 허리 통증
25 관절 통증 / 부기
26 피부 발진

24-1 목 통증

L 방사통! O S 외상 T Co Ex C 양상, 정도 F 자세 Asso 퇴행성/외상성/뇌수막염/종양/기타	약물력 과거력 암! 외상력 사회력 가족력 여성력
P/E 머리, 목, 사지 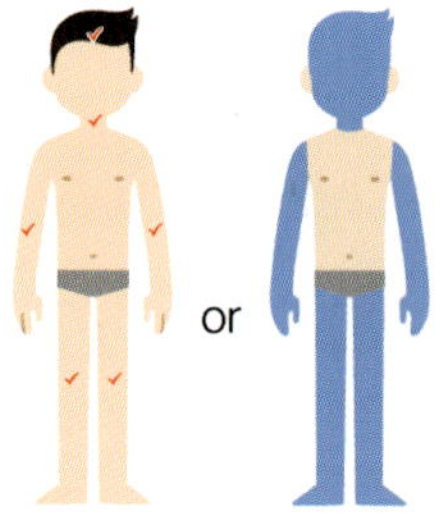 	환자교육 X-ray, MRI 안정, 올바른 자세, 스트레칭, 적당한 운동 응급상황(대소변장애, 힘빠짐)

M·E·M·O

Check-list

	병력청취 채점항목	예	아니오
1	목 통증의 양상(빈도, 지속시간, 패턴 등)에 대하여 물어보았다.	☐	☐
2	언제부터 발생하였는지 물어보았다.	☐	☐
3	동반되는 증상이 있는지 질문하였다.	☐	☐
4	목 통증이 악화 또는 완화는 경우가 있는지 물어보았다.	☐	☐
5	평소 생활습관이나 자세에 대하여 물어보았다.	☐	☐
6	외상력이 있는지 물어보았다.	☐	☐
7	직업에 대하여 물어보았다.	☐	☐

	신체진찰 채점항목	제대로 함	제대로 못함	하지 않음
1	통증 부위를 확인하였다.	☐	☐	☐
2	목의 운동범위와 통증여부 및 감각/운동이상을 확인하였다.	☐	☐	☐
3	Spurling's test를 시행하였다.	☐	☐	☐
4	어깨 및 상지의 감각/운동이상이 있는지 확인하였다.	☐	☐	☐

	환자교육 채점항목	예	아니오
1	목 통증을 유발할 수 있는 원인에 대하여 설명하였다.	☐	☐
2	의심되는 질환을 설명하고 필요한 검사에 대해 동의를 구하였다.	☐	☐
3	통증을 악화시킬 수 있는 생활습관 및 자세에 대하여 설명하고, 도움이 되는 운동법을 교육하였다.	☐	☐
4	치료 계획에 대하여 설명하였다.	☐	☐

	환자의사관계 채점항목	아주우수	우수	보통	미흡
1	효율적으로 잘 물어보았다. - 효율적 질문 : 개방형 질문 사용, 확인, 중간 요약 - 피할 질문 : 유도 질문, 복수 질문	☐	☐	☐	☐
2	나의 말을 잘 들어주었다. - 대꾸하기, 경청 자세, 눈 맞춤 & 말 가로채지 않기	☐	☐	☐	☐
3	나의 입장을 이해하려고 노력하였다. - 공감 표현, 나의 입장 파악	☐	☐	☐	☐
4	환자가 이해하기 쉽게 설명하였다. - 간단명료함, 이해도 점검, 질문 기회 & 쉬운 용어	☐	☐	☐	☐
5	나와 좋은 유대 관계를 형성하려고 했다. - 자기소개, 일상 대화, 존중, 자신감 & 신뢰감	☐	☐	☐	☐

24-2 허리 통증

L 방사통! O S 외상 T Co Ex	C 양상, 정도 F 자세 Asso 퇴행성/외상성/종양/AS(포도막염 등)	약물력 과거력 암! 외상력 사회력 가족력 여성력
P/E 운동검사(SLRT, 쇼버!) 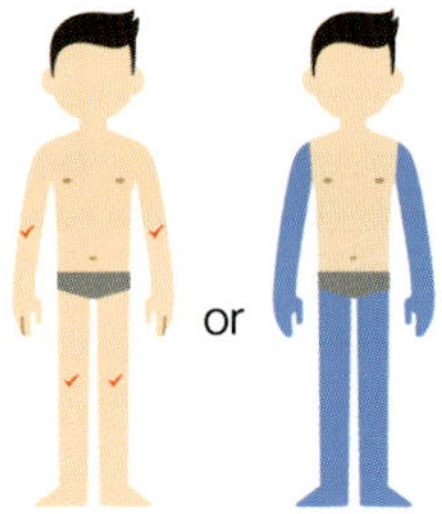		환자교육 X-ray, MRI 안정, 올바른 자세, 스트레칭, 적당한 운동 응급상황(대소변장애, 힘빠짐)

M·E·M·O

Check-list

	병력청취 채점항목	예	아니오
1	허리 통증이 언제부터 발생하였고, 발생상황을 물어보았다.	☐	☐
2	최초 증상 발생 후 변화가 있었는지 물어보았다.	☐	☐
3	허리 통증이 악화 또는 완화되는 자세/요인이 있는지 물어보았다.	☐	☐
4	방사통, 감각이상, 근력저하, 운동제한, 체중감소, 발열 등의 동반증상이 나타나는지 물어보았다.	☐	☐
5	외상 및 수술력에 대하여 물어보았다.	☐	☐
6	현병력에 대하여 물어보았다(암, 류마티스 질환, 근골격계).	☐	☐
7	복용중인 약물이 있는지 물어보았다.	☐	☐

	신체진찰 채점항목	제대로 함	제대로 못함	하지 않음
1	허리 통증 부위를 확인하였다.	☐	☐	☐
2	척추의 정렬 상태를 확인하였다.	☐	☐	☐
3	자세와 걸음걸이를 확인하였다.	☐	☐	☐
4	하지직거상 검사를 시행하였다.	☐	☐	☐
5	하지의 관절, 운동, 감각을 확인하였다.	☐	☐	☐
6	하지 말초혈관 맥박을 촉진하였다.	☐	☐	☐

	환자교육 채점항목	예	아니오
1	허리 통증을 유발하는 원인에 대하여 설명하였다.	☐	☐
2	추가적으로 필요한 검사를 설명하고 동의를 구하였다.	☐	☐
3	허리 통증을 일으킬 수 있는 자세와 올바른 자세를 설명하였다.	☐	☐
4	허리 통증을 줄일 수 있는 운동법과 생활습관을 교육하였다.	☐	☐

	환자의사관계 채점항목	아주우수	우수	보통	미흡
1	효율적으로 잘 물어보았다. - 효율적 질문 : 개방형 질문 사용, 확인, 중간 요약 - 피할 질문 : 유도 질문, 복수 질문	☐	☐	☐	☐
2	나의 말을 잘 들어주었다. - 대꾸하기, 경청 자세, 눈 맞춤 & 말 가로채지 않기	☐	☐	☐	☐
3	나의 입장을 이해하려고 노력하였다. - 공감 표현, 나의 입장 파악	☐	☐	☐	☐
4	환자가 이해하기 쉽게 설명하였다. - 간단명료함, 이해도 점검, 질문 기회 & 쉬운 용어	☐	☐	☐	☐
5	나와 좋은 유대 관계를 형성하려고 했다. - 자기소개, 일상 대화, 존중, 자신감 & 신뢰감	☐	☐	☐	☐

25 관절 통증·부기

L 위치/개수/대칭/방사 C 양상, 정도 O 갑/서 F 활동/휴식 S 외상 Asso 조조강직, 피부병변 T Co Ex	약물력 스테로이드 주사 과거력 외상력 사회력 가족력 여성력 유산력
P/E 눈/구강/피부, 흉부, 관절 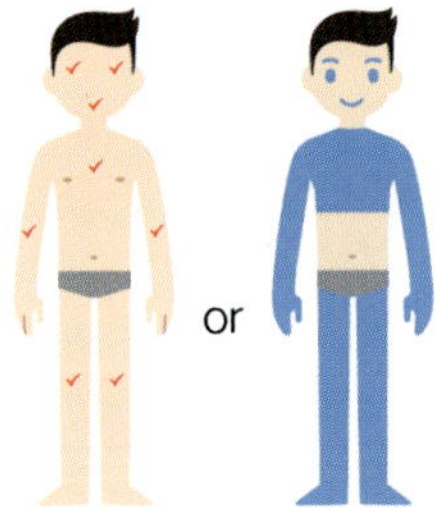 	환자교육 X-ray, MRI, 혈액검사 관절에 무리 가지 않는 운동 스테로이드 부작용

M·E·M·O

Check-list

	병력청취 채점항목	예	아니오
1	관절 통증의 양상에 대하여 자세히 물어보았다.	☐	☐
2	언제부터 시작하였으며, 얼마나 지속되는지, 하루 중 가장 심할 때 등을 물어보았다.	☐	☐
3	관절 통증이 악화되거나 완화되는 상황이나 요인에 대하여 질문하였다.	☐	☐
4	과도한 운동이나 직업적으로 반복해서 관절을 사용한 적이 있는지 물어보았다.	☐	☐
5	가족력을 물어보았다.	☐	☐
6	류마티스, 근골격계를 포함한 질환력에 대하여 물어보았다.	☐	☐
7	복용중인 약물이 있는지 물어보았다.	☐	☐

	신체진찰 채점항목	제대로 함	제대로 못함	하지 않음
1	관절의 상태를 확인하였다.	☐	☐	☐
2	통증이 있는 위치와 범위를 확인하였다.	☐	☐	☐
3	관절의 부종, 열감, 운동범위, 주변조직을 확인하였다.	☐	☐	☐
4	대칭성을 확인하였다.	☐	☐	☐
5	관절 외에 동반되는 신체적 증상을 확인하였다(피부 발진, 구강/생식기 궤양, 손발톱 경화 등).	☐	☐	☐

	환자교육 채점항목	예	아니오
1	관절염의 생성 기전에 대해서 설명하였다.	☐	☐
2	원인 감별을 위한 검사를 설명하고 동의를 구하였다.	☐	☐
3	질환의 정도에 따른 치료를 설명하였다.	☐	☐
4	통증이 유발될 수 있는 요인을 설명하고 대처법을 알려주었다.	☐	☐

	환자의사관계 채점항목	아주우수	우수	보통	미흡
1	효율적으로 잘 물어보았다. – 효율적 질문 : 개방형 질문 사용, 확인, 중간 요약 – 피할 질문 : 유도 질문, 복수 질문	☐	☐	☐	☐
2	나의 말을 잘 들어주었다. – 대꾸하기, 경청 자세, 눈 맞춤 & 말 가로채지 않기	☐	☐	☐	☐
3	나의 입장을 이해하려고 노력하였다. – 공감 표현, 나의 입장 파악	☐	☐	☐	☐
4	환자가 이해하기 쉽게 설명하였다. – 간단명료함, 이해도 점검, 질문 기회 & 쉬운 용어	☐	☐	☐	☐
5	나와 좋은 유대 관계를 형성하려고 했다. – 자기소개, 일상 대화, 존중, 자신감 & 신뢰감	☐	☐	☐	☐

26 피부 발진

L 모두 확인	C 크기/수/색변화 딱지/비늘/통증	약물력 최근 약
O 갑/서		과거력
S 접촉 여부	F 여행/음식/성관계	외상력
T	Asso 루푸스, 감염, 접촉부위	사회력
Co		가족력
Ex		여성력 유산력, 질분비물

P/E 눈/구강/피부, 흉부(가능하면 전신 진찰)	환자교육
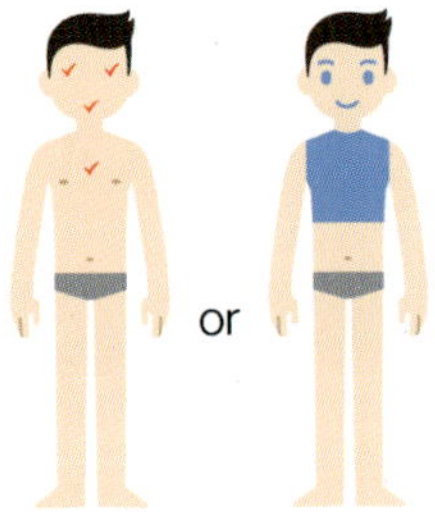	피부따끔검사, 혈액검사 긁지마세요

M·E·M·O

Check-list

	병력청취 채점항목	예	아니오
1	발진이 시작된 부위, 양상, 분포, 발생시기를 파악하였다.	☐	☐
2	가려움증, 따갑거나 통증, 열감 등의 동반증상이 있는지 확인하였다.	☐	☐
3	최근 먹은 음식이나 술, 화장품이나 장신구의 변화가 있었는지 물어보았다.	☐	☐
4	천식/알레르기/비염을 포함한 질병력을 확인하였다.	☐	☐
5	복용 중인 약물에 대해서 물어보았다.	☐	☐
6	최근 여행력과 신체 접촉력(성관계, 풀, 벌레)에 대하여 물어보았다.	☐	☐
7	발진의 크기가 점점 커지는지, 개수가 많아지는지 물어보았다.	☐	☐
8	가족 중에 알레르기나 천식, 비염을 앓고 있는지 물어보았다.	☐	☐

	신체진찰 채점항목	제대로 함	제대로 못함	하지 않음
1	발진을 직접 눈으로 확인하고 관찰하였다.	☐	☐	☐
2	옷이나 장신구, 머리카락 등으로 가려지는 부위도 완전히 노출하여 관찰하였다.	☐	☐	☐
3	호소하는 병변 외에 다른 부위도 소견이 있는지 확인하였다.	☐	☐	☐

	환자교육 채점항목	예	아니오
1	피부발진을 일으킬 수 있는 원인에 대하여 설명하였다.	☐	☐
2	의심되는 질환에 따른 검사를 설명하고 동의를 구하였다.	☐	☐
3	가능한 병변을 자극하지 않도록 교육하였다.	☐	☐
4	치료원칙과 계획에 대하여 설명하였다.	☐	☐

	환자의사관계 채점항목	아주우수	우수	보통	미흡
1	효율적으로 잘 물어보았다. – 효율적 질문 : 개방형 질문 사용, 확인, 중간 요약 – 피할 질문 : 유도 질문, 복수 질문	☐	☐	☐	☐
2	나의 말을 잘 들어주었다. – 대꾸하기, 경청 자세, 눈 맞춤 & 말 가로채지 않기	☐	☐	☐	☐
3	나의 입장을 이해하려고 노력하였다. – 공감 표현, 나의 입장 파악	☐	☐	☐	☐
4	환자가 이해하기 쉽게 설명하였다. – 간단명료함, 이해도 점검, 질문 기회 & 쉬운 용어	☐	☐	☐	☐
5	나와 좋은 유대 관계를 형성하려고 했다. – 자기소개, 일상 대화, 존중, 자신감 & 신뢰감	☐	☐	☐	☐

CLINICAL PERFORMANCE EXAMINATION

07 CHAPTER

산부 · 소아

27 유방통 · 유방덩이

L 정확한 위치 O S T 월경주기 변화 Co Ex	C 개수/딱딱/경계/ 크기/통증/분비물 F 모유수유 Asso 암(함몰, 체중감소)/ 관내유두종/감염성	약물력 경구피임약, 호르몬제제 과거력 유방검진/산부검진 외상력 유방 외상 사회력 커피! 가족력 여성력 만조유생/초경
P/E 유방(유방 시진/촉진, 유륜 짜기) 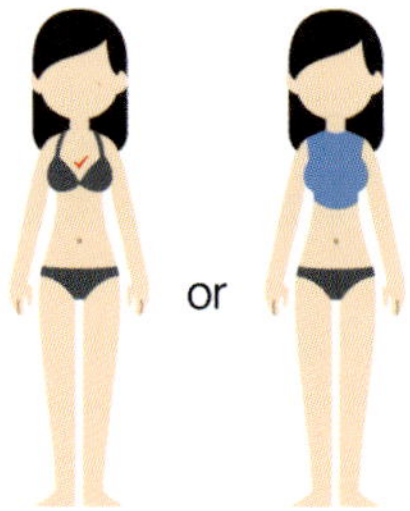 		환자교육 유방촬영/초음파 자가검진

M·E·M·O

Check-list

	병력청취 채점항목	예	아니오
1	유방덩이가 언제부터 만져졌는지 물어보았다.	☐	☐
2	덩이의 양상에 대하여 물어보았다(크기, 단단한 정도, 경계, 점점 커지는지, 통증, 유두 분비물, 피부함몰 등).	☐	☐
3	월경주기와 관련이 있는지 물어보았다.	☐	☐
4	덩이 주위에 통증과 열감, 발열/오한, 체중감소, 피로감 등의 동반증상이 있는지 물어보았다.	☐	☐
5	월경력과 산과력, 기타 산부인과력에 대하여 물어보았다.	☐	☐
6	유방암 또는 유방질환의 질병력이 있는지 물어보았다.	☐	☐
7	복용중인 약물(피임약 포함)이나 호르몬 치료 기왕력이 있는지 물어보았다.	☐	☐
8	가족 중 유방암 질병력이 있는지 물어보았다.	☐	☐

	신체진찰 채점항목	제대로 함	제대로 못함	하지 않음
1	유방 진찰 시 앉은 자세와 누운 자세 모두 확인하였다.	☐	☐	☐
2	유방의 피부변화를 면밀히 관찰하고 유두분비물이 있는지 확인하였다.	☐	☐	☐
3	올바른 방법으로 유방을 촉진하였다.	☐	☐	☐
4	촉진시 만져지는 종괴 및 압통 여부를 확인하였다.	☐	☐	☐
5	양측 경부 및 겨드랑이를 촉진하였다.	☐	☐	☐
6	흉부 진찰을 시행하였다.	☐	☐	☐

	환자교육 채점항목	예	아니오
1	유방덩이(또는 통증)의 원인에 대하여 설명하였다.	☐	☐
2	필요한 검사를 설명하고 동의를 구하였다.	☐	☐
3	치료계획을 설명하였다.	☐	☐
4	유방암 조기진단의 중요성을 설명하고 자가검진법을 교육하였다.	☐	☐

	환자의사관계 채점항목	아주우수	우수	보통	미흡
1	효율적으로 잘 물어보았다. – 효율적 질문 : 개방형 질문 사용, 확인, 중간 요약 – 피할 질문 : 유도 질문, 복수 질문	☐	☐	☐	☐
2	나의 말을 잘 들어주었다. – 대꾸하기, 경청 자세, 눈 맞춤 & 말 가로채지 않기	☐	☐	☐	☐
3	나의 입장을 이해하려고 노력하였다. – 공감 표현, 나의 입장 파악	☐	☐	☐	☐
4	환자가 이해하기 쉽게 설명하였다. – 간단명료함, 이해도 점검, 질문 기회 & 쉬운 용어	☐	☐	☐	☐
5	나와 좋은 유대 관계를 형성하려고 했다. – 자기소개, 일상 대화, 존중, 자신감 & 신뢰감	☐	☐	☐	☐

28 월경이상 · 월경통

L	C 월경력, 결혼력, 산과력 임신가능성, 통증 양상/정도	약물력 피임약, 정신과약
O		과거력 산부검진
S	F 다이어트, 운동, 스트레스	외상력
T 월경주기	Asso 부인과/내분비/선천/ 정신	사회력
Co		가족력 조기폐경
Ex		여성력
P/E 갑상샘, 복부, 골반 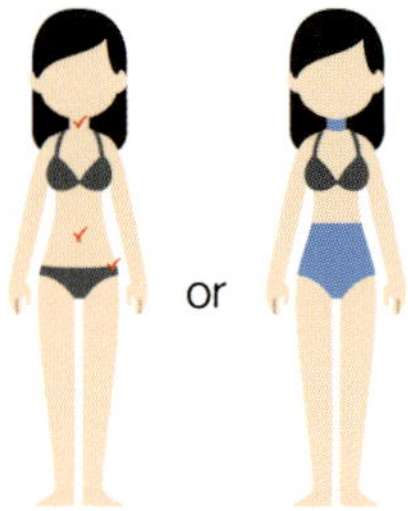 		환자교육 임신반응검사, 호르몬검사, 초음파

M·E·M·O

Check-list

	병력청취 채점항목	예	아니오
1	무월경이 얼마나 지속되었는지 물어보았다.	☐	☐
2	평소 월경력에 대하여 물어보았다(월경주기, 월경량, 월경통).	☐	☐
3	이차성징을 동반한 초경이 있었는지 물어보았다.	☐	☐
4	산과력을 물어보았다.	☐	☐
5	피임 여부와 피임법에 대하여 물어보았다.	☐	☐
6	동반되는 증상이 있는지 물어보았다.	☐	☐
7	과거력, 현질환력에 대하여 물어보았다.	☐	☐
8	가족력에 대하여 물어보았다(조기폐경, PCOS).	☐	☐
9	정기적인 산부인과 검진을 받은 적 있는지 물어보았다.	☐	☐

	신체진찰 채점항목	제대로 함	제대로 못함	하지 않음
1	복부 진찰을 시행하였다.	☐	☐	☐
2	내진을 포함한 골반 진찰을 시행하였다.	☐	☐	☐
3	초음파 소견을 확인하였다.	☐	☐	☐

	환자교육 채점항목	예	아니오
1	무월경을 일으킬 수 있는 원인에 대하여 설명하였다.	☐	☐
2	의심되는 질환과 필요한 검사에 대하여 설명하였다.	☐	☐
3	치료계획과 생활습관 교정에 대하여 설명하였다.	☐	☐
4	정기적인 산부인과 검진의 중요성을 설명하였다.	☐	☐

	환자의사관계 채점항목	아주우수	우수	보통	미흡
1	효율적으로 잘 물어보았다. – 효율적 질문 : 개방형 질문 사용, 확인, 중간 요약 – 피할 질문 : 유도 질문, 복수 질문	☐	☐	☐	☐
2	나의 말을 잘 들어주었다. – 대꾸하기, 경청 자세, 눈 맞춤 & 말 가로채지 않기	☐	☐	☐	☐
3	나의 입장을 이해하려고 노력하였다. – 공감 표현, 나의 입장 파악	☐	☐	☐	☐
4	환자가 이해하기 쉽게 설명하였다. – 간단명료함, 이해도 점검, 질문 기회 & 쉬운 용어	☐	☐	☐	☐
5	나와 좋은 유대 관계를 형성하려고 했다. – 자기소개, 일상 대화, 존중, 자신감 & 신뢰감	☐	☐	☐	☐

29-1 질분비물

L O S 성관계 T Co Ex	C 양/냄새/색/피 F 생리주기, 성관계, 질세척 Asso 외음부 통증/가려움 폐경증상 비뇨기계
약물력 피임약 과거력 산부검진 외상력 사회력 가족력 파트너 증상 여성력	
P/E 복부, 골반, WET smear(모형) 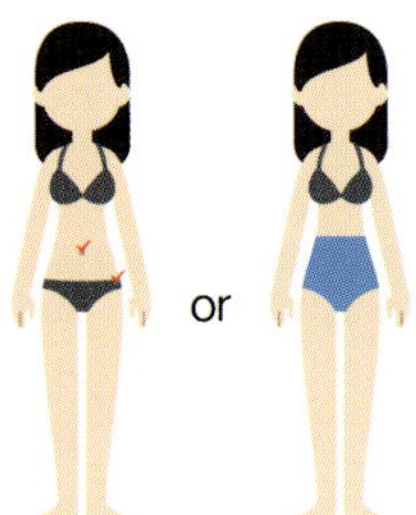	환자교육 옷, 탐폰, 질세정 파트너도 치료(트리코모나스)

M·E·M·O

Check-list

	병력청취 채점항목	예	아니오
1	질분비물이 언제부터 심해졌는지 물어보았다.	☐	☐
2	질분비물의 양상에 대하여 물어보았다(양, 색깔, 냄새, 점액도).	☐	☐
3	성관계 유무와 파트너도 비슷한 증상이 있는지 물어보았다.	☐	☐
4	외음부의 가려움증이나 화끈거림, 소변볼 때 불편감, 질출혈, 복통 등의 동반증상이 있는지 물어보았다.	☐	☐
5	발열, 구역/구토, 식욕저하, 피로 등의 전신증상을 동반하는지 물어보았다.	☐	☐
6	평소 월경력이나 산과력, 피임방법에 대하여 물어보았다.	☐	☐
7	질세정제 사용, 잦은 질세척 등의 손상 요인이 있는지 물어보았다.	☐	☐
8	예전에도 이런 적이 있었는지 물어보았다.	☐	☐
9	산부인과적 질환을 포함한 질병력에 대하여 물어보았다.	☐	☐

	신체진찰 채점항목	제대로 함	제대로 못함	하지 않음
1	신체진찰에 대한 목적과 방법을 설명하고 동의를 구하였다.	☐	☐	☐
2	복부 진찰을 시행하고 하복부 압통을 확인하였다.	☐	☐	☐
3	골반 진찰에 대해 설명하고 동의를 구하였다.	☐	☐	☐
4	골반 진찰 및 내진을 시행하였다.	☐	☐	☐

	환자교육 채점항목	예	아니오
1	정상적인 질분비물이 아닌 경우 질분비물 검사를 통해 원인파악이 필요함을 설명하였다.	☐	☐
2	질분비물 검사결과에 따른 치료원칙을 설명하였다.	☐	☐
3	임산부의 경우 조기파수나 조산의 위험성을 설명하였다.	☐	☐
4	정기적인 자궁경부세포 검사를 권고하였다.	☐	☐

	환자의사관계 채점항목	아주우수	우수	보통	미흡
1	효율적으로 잘 물어보았다. - 효율적 질문 : 개방형 질문 사용, 확인, 중간 요약 - 피할 질문 : 유도 질문, 복수 질문	☐	☐	☐	☐
2	나의 말을 잘 들어주었다. - 대꾸하기, 경청 자세, 눈 맞춤 & 말 가로채지 않기	☐	☐	☐	☐
3	나의 입장을 이해하려고 노력하였다. - 공감 표현, 나의 입장 파악	☐	☐	☐	☐
4	환자가 이해하기 쉽게 설명하였다. - 간단명료함, 이해도 점검, 질문 기회 & 쉬운 용어	☐	☐	☐	☐
5	나와 좋은 유대 관계를 형성하려고 했다. - 자기소개, 일상 대화, 존중, 자신감 & 신뢰감	☐	☐	☐	☐

29-2 질출혈

L O 갑/서 S 성관계 T 임신주수/월경주기 Co Ex	C 양/냄새/색 F 스트레스, 운동, 성관계 Asso 응급/임신/자궁이상/IUD	약물력 피임약 과거력 산부검진 외상력 사회력 가족력 암 여성력
P/E 복부, 골반, PAP smear(모형) 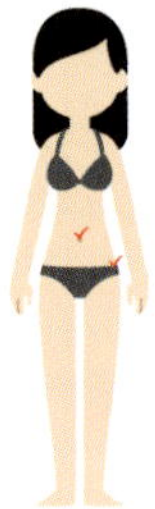 or 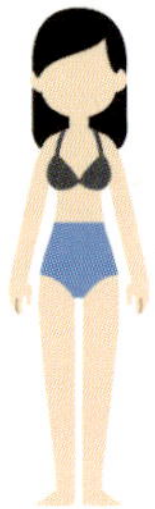		환자교육 응급상황 수술가능성

M·E·M·O

Check-list

	병력청취 채점항목	예	아니오
1	질출혈이 언제부터 심해졌는지 물어보았다.	☐	☐
2	질출혈의 양상에 대하여 물어보았다(양, 색깔, 냄새, 분비물동반).	☐	☐
3	외음부의 가려움증이나 화끈거림, 소변볼 때 불편감, 질출혈, 복통 등의 동반증상이 있는지 물어보았다.	☐	☐
4	성관계와 관련이 있는지 물어보았다.	☐	☐
5	발열, 구역/구토, 식욕저하, 피로 등의 전신증상을 동반하는지 물어보았다.	☐	☐
6	발생 가능한 응급상황에 대해 물어보았다.	☐	☐
7	평소 월경력이나 산과력, 피임방법, 임신가능성에 대하여 물어보았다.	☐	☐
8	예전에도 이런 적이 있었는지 물어보았다.	☐	☐
9	산부인과적 질환을 포함한 질병력에 대하여 물어보았다.	☐	☐

	신체진찰 채점항목	제대로 함	제대로 못함	하지 않음
1	신체진찰에 대한 목적과 방법을 설명하고 동의를 구하였다.	☐	☐	☐
2	복부 진찰을 시행하고 하복부 압통을 확인하였다.	☐	☐	☐
3	골반 진찰에 대해 설명하고 동의를 구하였다.	☐	☐	☐
4	골반 진찰 및 내진을 시행하였다.	☐	☐	☐

	환자교육 채점항목	예	아니오
1	추가 검사의 필요성에 대해 설명하였다.	☐	☐
2	검사 결과에 따른 치료법이나 수술 가능성에 대해 설명하였다.	☐	☐
3	임산부의 경우 유산, 조산의 위험성을 설명하였다.	☐	☐
4	정기적인 자궁경부세포 검사를 권고하였다.	☐	☐

	환자의사관계 채점항목	아주우수	우수	보통	미흡
1	효율적으로 잘 물어보았다. − 효율적 질문 : 개방형 질문 사용, 확인, 중간 요약 − 피할 질문 : 유도 질문, 복수 질문	☐	☐	☐	☐
2	나의 말을 잘 들어주었다. − 대꾸하기, 경청 자세, 눈 맞춤 & 말 가로채지 않기	☐	☐	☐	☐
3	나의 입장을 이해하려고 노력하였다. − 공감 표현, 나의 입장 파악	☐	☐	☐	☐
4	환자가 이해하기 쉽게 설명하였다. − 간단명료함, 이해도 점검, 질문 기회 & 쉬운 용어	☐	☐	☐	☐
5	나와 좋은 유대 관계를 형성하려고 했다. − 자기소개, 일상 대화, 존중, 자신감 & 신뢰감	☐	☐	☐	☐

30 산전 진찰

L		C	부모 키/혈액형 원하는 임신	약물력	철분/엽산
O	확인날			과거력	주산기력, 예방접종력, 성병, 이전 진찰
S		F		외상력	
T	LMP & 예정일	Asso	입덧, 질출혈/분비물, 전자간증/당뇨증상	사회력	
Co				가족력	유전질환
Ex				여성력	

P/E 분만진행단계(모형)

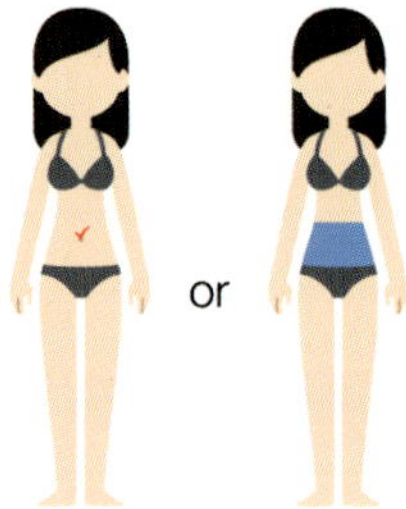

환자교육

첫방문 : 위험평가, 예정일, 내진, 검사, 교육

8~16주 : 초음파

16~18주 : Triple test

24~28주 : 임신성당뇨 선별검사

M·E·M·O

Check-list

	병력청취 채점항목	예	아니오
1	마지막 월경일과 임신반응 검사를 확인하였다.	☐	☐
2	분만예정일을 계산하였다.	☐	☐
3	산모의 내/외과적 질환력에 대하여 물어보았다.	☐	☐
4	산과력 및 이전 분만방법을 확인하였다.	☐	☐
5	현재 동반되는 증상이 있는지 물어보았다(두통, 부종, 복통, 질분비물/질출혈 등).	☐	☐
6	복용중인 약물(철분제, 엽산제 포함)에 대하여 물어보았다.	☐	☐
7	가족력을 확인하였다.	☐	☐

	신체진찰 채점항목	제대로 함	제대로 못함	하지 않음
1	임신 주수에 맞는 검사를 시행하였다.	☐	☐	☐
2	출혈, 질분비물의 유무를 확인하였다.	☐	☐	☐
3	복부 진찰 및 골반 진찰(내진)을 시행하였다(레오폴드 maneuver).	☐	☐	☐
4	도플러를 사용해 태아의 심박수를 확인하였다.	☐	☐	☐
5	복부/질 초음파를 시행하였다.	☐	☐	☐

	환자교육 채점항목	예	아니오
1	임신 주수 및 진찰 결과를 설명하였다.	☐	☐
2	정기적인 산전 진찰의 중요성과 주기 및 계획을 설명하였다.	☐	☐
3	임신 중 필요한 영양섭취 및 관리에 대하여 교육하였다.	☐	☐
4	즉시 내원해야 할 위험증상/징후에 대하여 설명하였다.	☐	☐

	환자의사관계 채점항목	아주우수	우수	보통	미흡
1	효율적으로 잘 물어보았다. – 효율적 질문 : 개방형 질문 사용, 확인, 중간 요약 – 피할 질문 : 유도 질문, 복수 질문	☐	☐	☐	☐
2	나의 말을 잘 들어주었다. – 대꾸하기, 경청 자세, 눈 맞춤 & 말 가로채지 않기	☐	☐	☐	☐
3	나의 입장을 이해하려고 노력하였다. – 공감 표현, 나의 입장 파악	☐	☐	☐	☐
4	환자가 이해하기 쉽게 설명하였다. – 간단명료함, 이해도 점검, 질문 기회 & 쉬운 용어	☐	☐	☐	☐
5	나와 좋은 유대 관계를 형성하려고 했다. – 자기소개, 일상 대화, 존중, 자신감 & 신뢰감	☐	☐	☐	☐

31-1 성장 지연

<table>
<tr><td>L
O
S
T
Co
Ex</td><td>C 출생시/현재
성장 속도
F
Asso 부모님
골절/뇌손상/황달/
난산</td><td>약물력
과거력 산모/출생/생후/선별검사/예방접종
외상력
사회력
가족력 부모님 키와 이차성징
여성력</td></tr>
<tr><td colspan="2">P/E x</td><td>환자교육
골연령검사, TFT, GH
F/U의 중요성</td></tr>
</table>

M·E·M·O

Check-list

	병력청취 채점항목	예	아니오
1	성장/발달 지연 여부를 확인하였는가?("왜 느리다고 생각하세요?" → 성장 or 운동/언어/사회성)	☐	☐
2	발달 지연이 발견된 시기를 질문하였다.	☐	☐
3	발달 지연의 진행 패턴에 대하여 질문하였다(처음부터/진행/퇴행).	☐	☐
4	환아의 키/체중/머리둘레를 측정하고 백분위수를 확인하였다.	☐	☐
5	환아의 언어발달 정도를 물어보았다.	☐	☐
6	환아의 운동(조대운동, 미세운동 둘 다)을 4, 7, 10, 12개월마다 정도를 물어보았다.	☐	☐
7	환아의 사회성 발달 정도를 물어보았다.	☐	☐
8	출생시 체중, 제태 주수를 물어보았다.	☐	☐
9	임신 중 산모의 특이사항에 대하여 물어보았다(흡연/음주/약물/외상).	☐	☐
10	주산기적 문제에 대하여 질문하였다(출생당시, 신생아).	☐	☐
11	가족 중에 성장/발달이 늦은 사람이 있는지 물어보았다.	☐	☐
12	양육 방식과 식사, 영양상태를 확인하였다.	☐	☐
13	예방접종 여부에 대하여 물어보았다.	☐	☐

	환자교육 채점항목	예	아니오
1	발달지연 여부를 알려주고, 있다면 범위와 정도를 설명하였다.	☐	☐
2	가능한 원인과 추정진단에 대하여 설명하였다.	☐	☐
3	필요한 검사/치료원칙을 설명하였다.	☐	☐
4	치료나 중재에 도움을 받을 수 있는 방법을 소개하였다.	☐	☐

	환자의사관계 채점항목	아주우수	우수	보통	미흡
1	효율적으로 잘 물어보았다. - 효율적 질문 : 개방형 질문 사용, 확인, 중간 요약 - 피할 질문 : 유도 질문, 복수 질문	☐	☐	☐	☐
2	나의 말을 잘 들어주었다. - 대꾸하기, 경청 자세, 눈 맞춤 & 말 가로채지 않기	☐	☐	☐	☐
3	나의 입장을 이해하려고 노력하였다. - 공감 표현, 나의 입장 파악	☐	☐	☐	☐
4	환자가 이해하기 쉽게 설명하였다. - 간단명료함, 이해도 점검, 질문 기회 & 쉬운 용어	☐	☐	☐	☐
5	나와 좋은 유대 관계를 형성하려고 했다. - 자기소개, 일상 대화, 존중, 자신감 & 신뢰감	☐	☐	☐	☐

31-2 발달 지연

L　　　　C 출생시/현재 성장 O　　　　　과거/현재 발달력 S　　　　F T　　　　Asso 전반/언어/운동 Co Ex	약물력 과거력 산모/출생/생후/선별검사/예방접종 외상력 사회력 양육자, 환경, 영양 가족력 여성력
P/E x	환자교육 골연령검사, TFT F/U의 중요성

M·E·M·O

Check-list

	병력청취 채점항목	예	아니오
1	성장/발달 지연 여부를 확인하였는가?("왜 느리다고 생각하세요?" → 성장 or 운동/언어/사회성)	☐	☐
2	발달 지연이 발견된 시기를 질문하였다.	☐	☐
3	발달 지연의 진행 패턴에 대하여 질문하였다(처음부터/진행/퇴행).	☐	☐
4	환아의 키/체중/머리둘레를 측정하고 백분위수를 확인하였다.	☐	☐
5	환아의 언어발달 정도를 물어보았다.	☐	☐
6	환아의 운동(조대운동, 미세운동 둘 다)을 4, 7, 10, 12개월마다 정도를 물어보았다.	☐	☐
7	환아의 사회성 발달 정도를 물어보았다.	☐	☐
8	출생시 체중, 제태 주수를 물어보았다.	☐	☐
9	임신 중 산모의 특이사항에 대하여 물어보았다(흡연/음주/약물/외상).	☐	☐
10	주산기적 문제에 대하여 질문하였다(출생당시, 신생아).	☐	☐
11	가족 중에 성장/발달이 늦은 사람이 있는지 물어보았다.	☐	☐
12	양육 방식과 식사, 영양상태를 확인하였다.	☐	☐
13	예방접종 여부에 대하여 물어보았다.	☐	☐

	환자교육 채점항목	예	아니오
1	발달지연 여부를 알려주고, 있다면 범위와 정도를 설명하였다.	☐	☐
2	가능한 원인과 추정진단에 대하여 설명하였다.	☐	☐
3	필요한 검사/치료원칙을 설명하였다.	☐	☐
4	치료나 중재에 도움을 받을 수 있는 방법을 소개하였다.	☐	☐

	환자의사관계 채점항목	아주우수	우수	보통	미흡
1	효율적으로 잘 물어보았다. - 효율적 질문 : 개방형 질문 사용, 확인, 중간 요약 - 피할 질문 : 유도 질문, 복수 질문	☐	☐	☐	☐
2	나의 말을 잘 들어주었다. - 대꾸하기, 경청 자세, 눈 맞춤 & 말 가로채지 않기	☐	☐	☐	☐
3	나의 입장을 이해하려고 노력하였다. - 공감 표현, 나의 입장 파악	☐	☐	☐	☐
4	환자가 이해하기 쉽게 설명하였다. - 간단명료함, 이해도 점검, 질문 기회 & 쉬운 용어	☐	☐	☐	☐
5	나와 좋은 유대 관계를 형성하려고 했다. - 자기소개, 일상 대화, 존중, 자신감 & 신뢰감	☐	☐	☐	☐

32 예방접종

L O S 예방접종 T 수첩 Co Ex	C 지금몸상태 F Asso	약물력 면역억제제/수혈 과거력 출생시/선천질환/생후/1개월내 MMRV 이전 부작용, 알레르기 외상력 사회력 여행력, 직업력(성인) 가족력 여성력
P/E X		환자교육 동시접종여부 부작용교육

M·E·M·O

Check-list

	병력청취 채점항목	예	아니오
1	환자의 예방접종력을 확인하였다.	☐	☐
2	예전에 접종 후 특별한 증상이 있었는지 확인하였다.	☐	☐
3	환자의 현재 신체상태를 확인하였다.	☐	☐
4	환자의 최근 병력 및 증상(감염력, 발열/오한, 보챔, 간질 발작, 설사 등)을 확인하였다.	☐	☐
5	과거 병력(가와사끼, 면역글로불린, 항압요법 등)을 확인하였다.	☐	☐
6	복용중인 약물이 있는지 확인하였다.	☐	☐
7	알레르기력에 대하여 물어보았다.	☐	☐
	환자교육 채점항목	**예**	**아니오**
1	오늘 접종할 백신에 대하여 설명하였다.	☐	☐
2	생백신과 사백신을 구분하고, 동시 접종한 것들과 접종 간격을 설명하였다.	☐	☐
3	접종 부위(피하, 근주, 피내)에 대하여 설명하였다.	☐	☐
4	접종 후 나타날 수 있는 증상에 대하여 설명하였다.	☐	☐
5	접종 후 유의사항에 대하여 설명하였다.	☐	☐

	환자의사관계 채점항목	아주우수	우수	보통	미흡
1	효율적으로 잘 물어보았다. - 효율적 질문 : 개방형 질문 사용, 확인, 중간 요약 - 피할 질문 : 유도 질문, 복수 질문	☐	☐	☐	☐
2	나의 말을 잘 들어주었다. - 대꾸하기, 경청 자세, 눈 맞춤 & 말 가로채지 않기	☐	☐	☐	☐
3	나의 입장을 이해하려고 노력하였다 - 공감 표현, 나의 입장 파악	☐	☐	☐	☐
4	환자가 이해하기 쉽게 설명하였다. - 간단명료함, 이해도 점검, 질문 기회 & 쉬운 용어	☐	☐	☐	☐
5	나와 좋은 유대 관계를 형성하려고 했다. - 자기소개, 일상 대화, 존중, 자신감 & 신뢰감	☐	☐	☐	☐

CLINICAL PERFORMANCE EXAMINATION

08 CHAPTER

신 경

33 어지럼

L 한쪽? 양쪽? O S T Co Ex C 회전성/아득함 F 자세 Asso 탈수, 신경계, 메니에르, 저혈당, 정신	약물력 과거력 외상력 사회력 스트레스 가족력 여성력
P/E 눈, 신경계 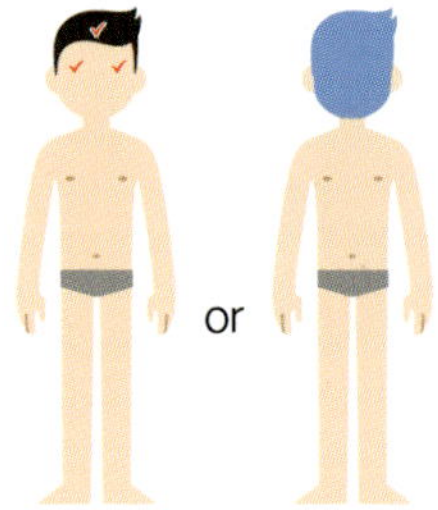 	환자교육 Dix-Hallpike test Brain CT/MRI 스트레스 X 부상 방지

M·E·M·O

Check-list

	병력청취 채점항목	예	아니오
1	어지럼증이 언제부터 나타났는지 물어보았다.	☐	☐
2	어지럼증의 양상에 대하여 물어보았다.	☐	☐
3	동반증상(두통, 청력저하, 이명, 구역/구토, 실신, 의식장애 등)이 있는지 물어보았다.	☐	☐
4	어지럼증의 지속시간과 발생 빈도, 횟수에 대하여 물어보았다.	☐	☐
5	과거질환력 및 최근 감염질환력, 신경과적 질환 등에 대하여 파악하였다.	☐	☐
6	현재 복용하고 있는 약물이 있는지 물어보았다.	☐	☐
7	두부 외상/수술력에 대하여 물어보았다.	☐	☐

	신체진찰 채점항목	제대로 함	제대로 못함	하지 않음
1	환자의 전반적인 신체균형 및 평형 상태를 확인하였다.	☐	☐	☐
2	Dix-hallpike 검사를 시행하였다.	☐	☐	☐
3	두위안진과 안진의 방향을 확인하였다.	☐	☐	☐
4	뇌신경 검사를 시행하였다.	☐	☐	☐
5	청각 검사 및 소뇌기능 검사를 시행하였다.	☐	☐	☐
6	직립반사 및 편의 검사에서 치우침을 확인하였다.	☐	☐	☐

	환자교육 채점항목	예	아니오
1	의심되는 질환과 원인에 대하여 설명하였다.	☐	☐
2	진단에 필요한 검사를 설명하고 동의를 구하였다.	☐	☐
3	검사 결과에 따른 치료계획을 설명하였다.	☐	☐
4	치료에 따른 경과와 주의사항 등에 대하여 설명하였다.	☐	☐

	환자의사관계 채점항목	아주우수	우수	보통	미흡
1	효율적으로 잘 물어보았다. – 효율적 질문 : 개방형 질문 사용, 확인, 중간 요약 – 피할 질문 : 유도 질문, 복수 질문	☐	☐	☐	☐
2	나의 말을 잘 들어주었다. – 대꾸하기, 경청 자세, 눈 맞춤 & 말 가로채지 않기	☐	☐	☐	☐
3	나의 입장을 이해하려고 노력하였다. – 공감 표현, 나의 입장 파악	☐	☐	☐	☐
4	환자가 이해하기 쉽게 설명하였다. – 간단명료함, 이해도 점검, 질문 기회 & 쉬운 용어	☐	☐	☐	☐
5	나와 좋은 유대 관계를 형성하려고 했다. – 자기소개, 일상 대화, 존중, 자신감 & 신뢰감	☐	☐	☐	☐

34 두 통

L 위치/방사통 C 양상/정도(NRS)	약물력 진통제
O F 빛, 소리	과거력
S Asso 일차두통, 뇌,	외상력
T 감염, 암	사회력 직업!!
Co	가족력
Ex	여성력
P/E 눈/코/입/목, 흉부 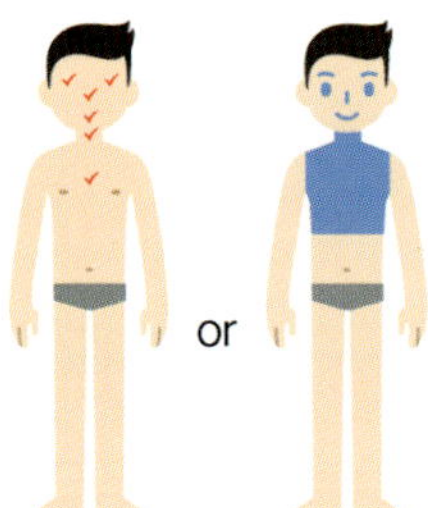 	환자교육 Brain CT/MRI 약 꾸준히 복용 스트레스, 카페인 X

M·E·M·O

Check-list

	병력청취 채점항목	예	아니오
1	두통이 언제부터 시작되었는지 물어보았다.	☐	☐
2	두통의 부위와 양상에 대하여 자세히 문진하였다.	☐	☐
3	두통이 발생한 상황이나 계기가 있는지 물어보았다.	☐	☐
4	시야장애, 목의 경직, 구역/구토, 눈 충혈/눈물, 콧물 등의 동반증상에 대하여 물어보았다.	☐	☐
5	두통이 발생하기 전 조짐이 있는지 물어보았다.	☐	☐
6	가족 중에 비슷한 두통을 앓은 사람이 있는지 물어보았다.	☐	☐
7	복용하고 있는 약물에 대하여 물어보았다.	☐	☐
8	머리를 다친 적이 있거나 수술한 적이 있는지 물어보았다.	☐	☐

	신체진찰 채점항목	제대로 함	제대로 못함	하지 않음
1	활력징후를 확인하였다.	☐	☐	☐
2	두부를 시/촉진하여 압통이 있는지 확인하였다.	☐	☐	☐
3	결막을 시진하여 창백한지 살펴보았다.	☐	☐	☐
4	사지 근력과 감각을 확인하였다.	☐	☐	☐
5	환자를 눕히고, 수막자극징후 여부를 확인하였다.	☐	☐	☐
6	병적 반사 유무를 확인하였다.	☐	☐	☐

	환자교육 채점항목	예	아니오
1	두통을 유발할 수 있는 원인과 질환에 대하여 설명하였다.	☐	☐
2	필요한 검사를 설명하고 동의를 구하였다.	☐	☐
3	치료의 필요성과 방법에 대하여 설명하였다.	☐	☐
4	두통을 악화시킬 수 있는 요인이나 주의사항에 대하여 설명하였다.	☐	☐

	환자의사관계 채점항목	아주우수	우수	보통	미흡
1	효율적으로 잘 물어보았다. - 효율적 질문 : 개방형 질문 사용, 확인, 중간 요약 - 피할 질문 : 유도 질문, 복수 질문	☐	☐	☐	☐
2	나의 말을 잘 들어주었다. - 대꾸하기, 경청 자세, 눈 맞춤 & 말 가로채지 않기	☐	☐	☐	☐
3	나의 입장을 이해하려고 노력하였다. - 공감 표현, 나의 입장 파악	☐	☐	☐	☐
4	환자가 이해하기 쉽게 설명하였다. - 간단명료함, 이해도 점검, 질문 기회 & 쉬운 용어	☐	☐	☐	☐
5	나와 좋은 유대 관계를 형성하려고 했다. - 자기소개, 일상 대화, 존중, 자신감 & 신뢰감	☐	☐	☐	☐

35 실신

<table>
<tr>
<td>L 다친 곳
O
S
T
Co
Ex</td>
<td>C 실신 전/중/후
F
Asso 전신, 뇌, 순환기,
위장관 출혈, 정신</td>
<td>약물력 고혈압약/전립선약
과거력
외상력
사회력
가족력
여성력</td>
</tr>
<tr>
<td colspan="2">P/E 눈/입/목, 신경계, 팔다리, 흉부, 혈압측정(모형)
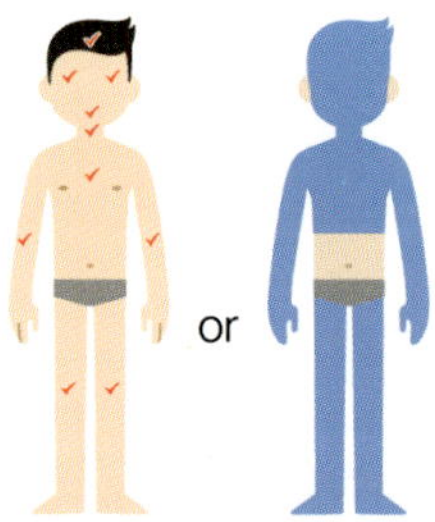</td>
<td>환자교육
머리기울임 검사

실신 유발 상황 회피
부상 방지</td>
</tr>
</table>

M·E·M·O

Check-list

	병력청취 채점항목	예	아니오
1	실신의 발생시간, 상황, 의식을 잃은 시간에 대해서 물어보았다.	☐	☐
2	실신이 발생하기 전에 전조증상(어질어질, 아득해지는 느낌, 빛이 번쩍임, 구역감, 구토 등)에 대해서 물어보았다.	☐	☐
3	실신 발생시 동반증상(팔다리 떨림, 근육강직, 혀깨뭄, 안구편위, 요실금, 변실금 등)에 대하여 물어보았다.	☐	☐
4	의식을 회복한 후 두통, 어지럼증, 오심, 구토, 의식 혼동 기간에 대하여 물어보았다.	☐	☐
5	실신 전후로 가슴 불편감, 두통, 팔다리의 힘이 빠지거나 말이 어눌해지는 등 신경학적 증상에 대하여 물어보았다.	☐	☐
6	이전 실신 병력이나 복용 약물, 앓고 있는 질병에 대하여 물어보았다.	☐	☐
7	최근 탈수나 출혈의 가능성에 대하여 물어보았다.	☐	☐

	신체진찰 채점항목	제대로 함	제대로 못함	하지 않음
1	환자의 의식 명료 정도와 외상 여부를 확인하였는가?	☐	☐	☐
2	뇌신경 검사, 팔다리 근력/감각, 발음 정상 여부를 확인하였는가?	☐	☐	☐
3	결막 시진, 목동맥 촉진과 청진을 수행하였는가?	☐	☐	☐
4	혀 깨뭄 여부와 피부긴장도를 촉진하여 탈수를 확인하였는가?	☐	☐	☐
5	심음을 청진하여 빈맥/서맥, 심장 잡음 여부를 확인하였는가?	☐	☐	☐

	환자교육 채점항목	예	아니오
1	실신의 원인에 대하여 설명하였는가?	☐	☐
2	필요한 진단 방법과 치료방법을 설명하고 동의를 구하였는가?	☐	☐
3	전조 증상이 나타날 때 취해야 할 조치를 설명하였는가?	☐	☐
4	위험요인을 줄이기 위한 생활환경의 변화 방법을 교육하였는가?	☐	☐

	환자의사관계 채점항목	아주우수	우수	보통	미흡
1	효율적으로 잘 물어보았다. - 효율적 질문 : 개방형 질문 사용, 확인, 중간 요약 - 피할 질문 : 유도 질문, 복수 질문	☐	☐	☐	☐
2	나의 말을 잘 들어주었다. - 대꾸하기, 경청 자세, 눈 맞춤 & 말 가로채지 않기	☐	☐	☐	☐
3	나의 입장을 이해하려고 노력하였다 - 공감 표현, 나의 입장 파악	☐	☐	☐	☐
4	환자가 이해하기 쉽게 설명하였다. - 간단명료함, 이해도 점검, 질문 기회 & 쉬운 용어	☐	☐	☐	☐
5	나와 좋은 유대 관계를 형성하려고 했다. - 자기소개, 일상 대화, 존중, 자신감 & 신뢰감	☐	☐	☐	☐

36 경 련

L 다친 곳 O S T Co Ex	C 경련 전/중/후 F Asso 전신, 뇌	약물력 과거력 소아는 발달력! 외상력 사회력 스트레스 가족력 여성력
P/E 눈/입, 신경계 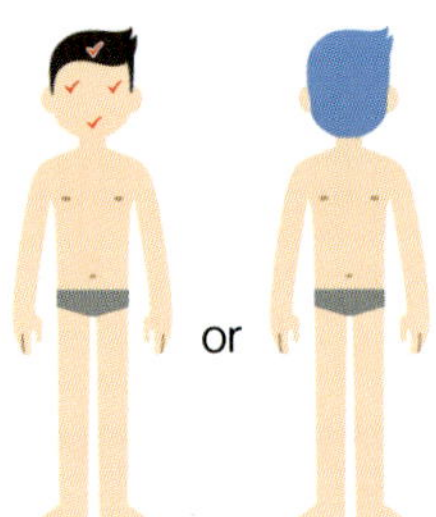 		환자교육 뇌파검사 스트레스, 수면박탈 X 약 꾸준히 복용 부상 방지

M·E·M·O

Check-list

	병력청취 채점항목		예	아니오
1	경련시기와 발생상황에 대하여 물어보았다.		☐	☐
2	경련의 양상에 대하여 물어보았다(지속시간, 빈도, 의식소식, 전신경련/부분경련, 대소변지림, 안구편위, 자동증, 거품/청색증).		☐	☐
3	동반증상에 대하여 물어보았다(열/식은땀, 구역/구토/복통/설사/변비, 두통/어지러움/시야장애, 피로, 팔다리 힘빠짐 등).		☐	☐
4	유발인자에 대하여 물어보았다(수면부족, 피곤, 음주, 과호흡, 빛이나 깜박거림).		☐	☐
5	앓고 있는 질환력과 최근 감염력, 두부 외상력, 신경과적 질환에 대하여 물어보았다.		☐	☐
6	가족 중에 간질을 비롯한 신경과적 질환이 있는지 물어보았다.		☐	☐
7	복용중인 약물이 있는지 물어보았다.		☐	☐
	신체진찰 채점항목	**제대로 함**	**제대로 못함**	**하지 않음**
1	의식상태 및 정신상태를 확인하였다.	☐	☐	☐
2	두부와 얼굴을 비롯한 외상의 흔적을 확인하였다.	☐	☐	☐
3	안저 검사를 시행하였다.	☐	☐	☐
4	신경학적 검사를 시행하였다.	☐	☐	☐
5	운동기능 검사를 시행하였다.	☐	☐	☐
	환자교육 채점항목		**예**	**아니오**
1	경련의 원인과 간질성 발작의 가능성에 대하여 설명하였다.		☐	☐
2	일상생활에서 주의해야 할 사항에 대하여 교육하였다.		☐	☐
3	발작시 응급대처법을 교육하였다.		☐	☐
4	여성의 경우 임신/육아, 특정직업군에게 유의사항을 교육하였다.		☐	☐

	환자의사관계 채점항목	아주우수	우수	보통	미흡
1	효율적으로 잘 물어보았다. - 효율적 질문 : 개방형 질문 사용, 확인, 중간 요약 - 피할 질문 : 유도 질문, 복수 질문	☐	☐	☐	☐
2	나의 말을 잘 들어주었다. - 대꾸하기, 경청 자세, 눈 맞춤 & 말 가로채지 않기	☐	☐	☐	☐
3	나의 입장을 이해하려고 노력하였다. - 공감 표현, 나의 입장 파악	☐	☐	☐	☐
4	환자가 이해하기 쉽게 설명하였다. - 간단명료함, 이해도 점검, 질문 기회 & 쉬운 용어	☐	☐	☐	☐
5	나와 좋은 유대 관계를 형성하려고 했다. - 자기소개, 일상 대화, 존중, 자신감 & 신뢰감	☐	☐	☐	☐

37 의식장애

<table>
<tr>
<td>ABC, GCS 먼저!
L 다친 곳
O
S
T
Co
Ex
C 모습 - 경련, 안구편위, 실금
F
Asso 전신, 뇌, 소화기(간)</td>
<td>약물력
과거력
외상력
사회력 술 문제 의심 시 음주 자세히!!
가족력
여성력</td>
</tr>
<tr>
<td>P/E 입, 신경계
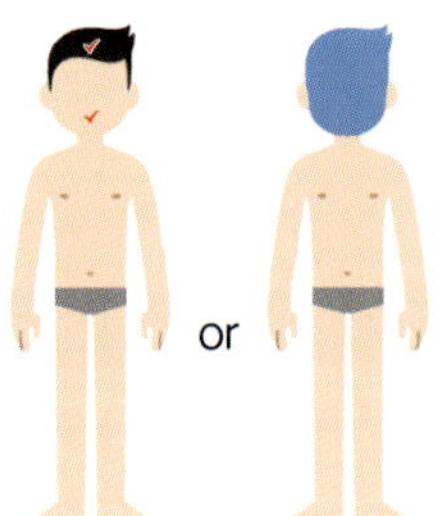
</td>
<td>환자교육
Brain CT/MRI

보호자 안심!!</td>
</tr>
</table>

M·E·M·O

Check-list

	병력청취 채점항목	예	아니오
1	의식장애 발생시점 혹은 마지막으로 의식이 정상이었던 시점이 언제인지 물어보았다.	☐	☐
2	발생/발견 당시 상황에 대하여 물어보았다.	☐	☐
3	의식장애가 발생하고 나서 경과에 대하여 물어보았다.	☐	☐
4	동반된 다른 증상에 대하여 물어보았다.	☐	☐
5	당뇨, 정신과적 질환을 포함한 과거병력에 대해 물어보았다.	☐	☐
6	알코올, 약물복용에 대하여 물어보았다.	☐	☐
7	두부외상 및 수술력에 대하여 물어보았다.	☐	☐

	신체진찰 채점항목	제대로 함	제대로 못함	하지 않음
1	활력징후를 확인하고 응급 CAB를 시행하였다.	☐	☐	☐
2	의식수준을 평가하였다.	☐	☐	☐
3	신경학적 검사를 시행하였다.	☐	☐	☐
4	경부 경직 및 뇌막자극 검사를 시행하였다.	☐	☐	☐
5	피부긴장도와 호흡 수, 숨냄새를 확인하였다.	☐	☐	☐
6	외상부위가 있는지 확인하였다.	☐	☐	☐

	환자교육 채점항목	예	아니오
1	의식장애를 유발할 수 있는 원인에 대하여 설명하였다.	☐	☐
2	진단에 필요한 검사를 설명하고 동의를 구하였다.	☐	☐
3	의심되는 질환의 위험성에 대하여 설명하였다.	☐	☐
4	치료계획에 대해 설명하였다.	☐	☐

	환자의사관계 채점항목	아주우수	우수	보통	미흡
1	효율적으로 잘 물어보았다. - 효율적 질문 : 개방형 질문 사용, 확인, 중간 요약 - 피할 질문 : 유도 질문, 복수 질문	☐	☐	☐	☐
2	나의 말을 잘 들어주었다. - 대꾸하기, 경청 자세, 눈 맞춤 & 말 가로채지 않기	☐	☐	☐	☐
3	나의 입장을 이해하려고 노력하였다. - 공감 표현, 나의 입장 파악	☐	☐	☐	☐
4	환자가 이해하기 쉽게 설명하였다. - 간단명료함, 이해도 점검, 질문 기회 & 쉬운 용어	☐	☐	☐	☐
5	나와 좋은 유대 관계를 형성하려고 했다. - 자기소개, 일상 대화, 존중, 자신감 & 신뢰감	☐	☐	☐	☐

38 떨림·운동이상

L 떨리는 위치 / C 규칙성, 양상 O / F 긴장, 커피/술 S / Asso 파킨슨, 뇌졸중 T / 내분비, 정신 Co Ex	약물력 정신과약 과거력 외상력 사회력 술 문제 의심 시 음주 자세히!! 가족력 여성력
P/E 갑상샘, 손, 신경계 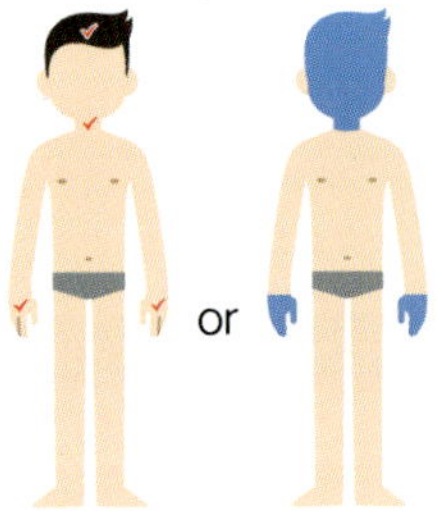	환자교육 Brain CT/MRI 카페인, 술 X

M·E·M·O

Check-list

	병력청취 채점항목	예	아니오
1	손떨림이 언제부터 시작되었는지 물어보았다.	☐	☐
2	손떨림의 양상에 대하여 구체적으로 물어보았다.	☐	☐
3	손떨림의 악화/완화요인이 있는지 물어보았다(술, 피로/스트레스, 집중할 때 등).	☐	☐
4	동반증상에 대해 물어보았다.	☐	☐
5	카페인, 흡연 및 음주력에 대하여 물어보았다.	☐	☐
6	현재 앓고 있는 질환과 과거력에 대하여 물어보았다.	☐	☐
7	복용 중인 약물이 있는지 확인하였다.	☐	☐

	신체진찰 채점항목	제대로 함	제대로 못함	하지 않음
1	손씻기를 시행하였다.	☐	☐	☐
2	병측 손을 확인하고 손떨림을 진찰하였다.	☐	☐	☐
3	맥박을 확인하였다.	☐	☐	☐
4	갑상샘을 진찰하였다.	☐	☐	☐
5	운동기능 검사와 소뇌기능 검사를 시행하였다(보행장애, 걸음걸이).	☐	☐	☐
6	근력반사 및 병적반사, 감각 검사를 시행하였다.	☐	☐	☐

	환자교육 채점항목	예	아니오
1	손떨림의 원인과 질환에 대하여 설명하였다.	☐	☐
2	필요한 검사를 설명하고 동의를 구하였다.	☐	☐
3	검사 결과에 따른 치료원칙을 설명하였다.	☐	☐
4	손떨림을 완화시킬 수 있는 방법과 생활습관 교정에 대해 교육하였다.	☐	☐

	환자의사관계 채점항목	아주우수	우수	보통	미흡
1	효율적으로 잘 물어보았다. – 효율적 질문 : 개방형 질문 사용, 확인, 중간 요약 – 피할 질문 : 유도 질문, 복수 질문	☐	☐	☐	☐
2	나의 말을 잘 들어주었다. – 대꾸하기, 경청 자세, 눈 맞춤 & 말 가로채지 않기	☐	☐	☐	☐
3	나의 입장을 이해하려고 노력하였다. – 공감 표현, 나의 입장 파악	☐	☐	☐	☐
4	환자가 이해하기 쉽게 설명하였다. – 간단명료함, 이해도 점검, 질문 기회 & 쉬운 용어	☐	☐	☐	☐
5	나와 좋은 유대 관계를 형성하려고 했다. – 자기소개, 일상 대화, 존중, 자신감 & 신뢰감	☐	☐	☐	☐

39 근력 · 감각이상

L 위치, 진행방향 O S T Co Ex	C 운동범위/통증 여부 F Asso 뇌~근육, 갑상샘	약물력 과거력 외상력 사회력 식습관, 운동 가족력 여성력
P/E 눈/목, 신경계 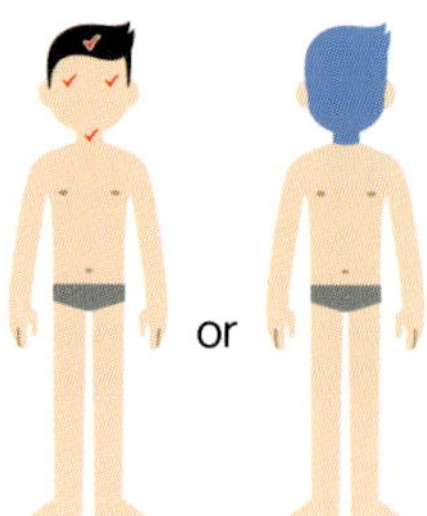 or		환자교육 Brain CT/MRI 심혈관 위험인자 교정

M·E·M·O

Check-list

	병력청취 채점항목		예	아니오
1	근력 약화의 발생시기를 물어보았다.		☐	☐
2	근력 약화의 양상과 정도, 진행상태를 물어보았다.		☐	☐
3	근력 약화의 부위를 물어보았다.		☐	☐
4	동반되는 증상을 물어보았다.		☐	☐
5	질병력에 대하여 물어보았다(두부외상, 뇌질환 포함).		☐	☐
6	가족력에 대하여 물어보았다.		☐	☐
7	음주/흡연력에 대하여 물어보았다.		☐	☐
	신체진찰 채점항목	**제대로 함**	**제대로 못함**	**하지 않음**
1	호소하는 병측 및 정상측의 근력을 평가하였다.	☐	☐	☐
2	감각 변화 및 운동능력을 평가하였다.	☐	☐	☐
3	신경학적 검사를 시행하였다.	☐	☐	☐
4	심부건반사 및 병적 반사를 확인하였다.	☐	☐	☐
5	보행 및 운동장애, 소뇌기능 검사를 시행하였다.	☐	☐	☐
6	양측 경동맥 잡음을 시/촉진/청진하였다.	☐	☐	☐
	환자교육 채점항목		**예**	**아니오**
1	팔다리 근력약화를 일으킬 수 있는 원인과 위험인자에 대하여 설명하였다.		☐	☐
2	필요한 검사에 대해 설명하고 동의를 구하였다.		☐	☐
3	일차적인 치료와 앞으로의 치료계획을 설명하였다.		☐	☐
4	금주 및 금연교육		☐	☐

	환자의사관계 채점항목	아주우수	우수	보통	미흡
1	효율적으로 잘 물어보았다. – 효율적 질문 : 개방형 질문 사용, 확인, 중간 요약 – 피할 질문 : 유도 질문, 복수 질문	☐	☐	☐	☐
2	나의 말을 잘 들어주었다. – 대꾸하기, 경청 자세, 눈 맞춤 & 말 가로채지 않기	☐	☐	☐	☐
3	나의 입장을 이해하려고 노력하였다. – 공감 표현, 나의 입장 파악	☐	☐	☐	☐
4	환자가 이해하기 쉽게 설명하였다. – 간단명료함, 이해도 점검, 질문 기회 & 쉬운 용어	☐	☐	☐	☐
5	나와 좋은 유대 관계를 형성하려고 했다. – 자기소개, 일상 대화, 존중, 자신감 & 신뢰감	☐	☐	☐	☐

CLINICAL PERFORMANCE EXAMINATION

09 CHAPTER

정 신

40 기분변화

L	C 우울 9개, 조증 7개	약물력 스테로이드, 항정신병약물
O	F 스트레스/사별/계절/출산	과거력 DM/HTN, 정신과 질환
S	Asso 갑상샘/신경/정신	외상력
T		사회력 음주, 운동
Co		가족력
Ex		여성력 출산 후 우울증
P/E 지남력, 갑상샘, 사지 근력 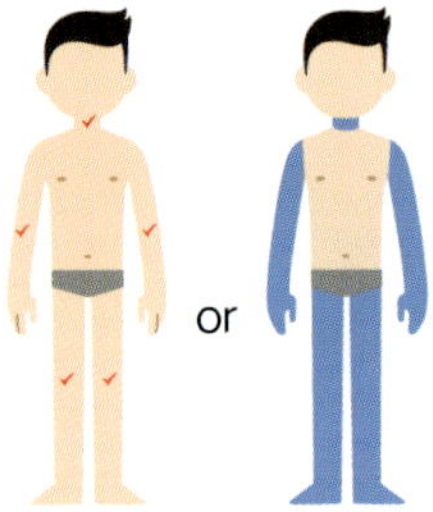 지남력 확인		환자교육 꾸준히 약 복용 필요 시 입원 치료 중대한 결정은 치료 끝난 뒤에 하기

M·E·M·O

Check-list

	병력청취 채점항목	예	아니오
1	기분변화의 발생시기와 어떤 양상으로 나타났는지 물어보았다.	☐	☐
2	기분변화의 심한 정도와 일상생활에 끼치는 영향을 물어보았다.	☐	☐
3	동반되어 나타나는 증상에 대하여 물어보았다(삶의 의욕저하, 사고/집중력 저하, 수면장애, 식욕변화, 체중변화, 자살사고 및 시도, 추위 불내성/변비, 환청/환시/환각, 불안 등).	☐	☐
4	기분변화의 계기나 스트레스가 될만한 사건에 대하여 물어보았다.	☐	☐
5	가족 및 친구 등 대인 관계에 문제가 있는지 물어보았다.	☐	☐
6	정신과적 질환의 가족력을 물어보았다.	☐	☐
7	과거 앓았던 질환에 대하여 물어보았다(기저질환, 조증/경조증 삽화, 물질 오남용여부).	☐	☐
8	현재 복용 중인 약물에 대하여 물어보았다.	☐	☐
9	음주력에 대해 물어보았다.	☐	☐

	신체진찰 채점항목	제대로 함	제대로 못함	하지 않음
1	환자의 정신상태를 Alertness, Mood, Affect로 구분하여 확인하였다.	☐	☐	☐
2	피부긴장도, 함요부종, 갑상샘 촉진을 시행하였다.	☐	☐	☐

	환자교육 채점항목	예	아니오
1	기분변화를 일으킬 수 있는 다양한 원인에 대해 설명하였다.	☐	☐
2	원인을 감별하기 위해 필요한 검사에 대해 설명하고 동의를 구하였다.	☐	☐
3	치료의 필요성과 치료계획에 대하여 설명하였다.	☐	☐
4	자살사고나 응급상황에서 입원치료를 권유하였다.	☐	☐

	환자의사관계 채점항목	아주우수	우수	보통	미흡
1	효율적으로 잘 물어보았다. – 효율적 질문 : 개방형 질문 사용, 확인, 중간 요약 – 피할 질문 : 유도 질문, 복수 질문	☐	☐	☐	☐
2	나의 말을 잘 들어주었다. – 대꾸하기, 경청 자세, 눈 맞춤 & 말 가로채지 않기	☐	☐	☐	☐
3	나의 입장을 이해하려고 노력하였다. – 공감 표현, 나의 입장 파악	☐	☐	☐	☐
4	환자가 이해하기 쉽게 설명하였다. – 간단명료함, 이해도 점검, 질문 기회 & 쉬운 용어	☐	☐	☐	☐
5	나와 좋은 유대 관계를 형성하려고 했다. – 자기소개, 일상 대화, 존중, 자신감 & 신뢰감	☐	☐	☐	☐

09 CHAPTER

41 불 안

L O S T Co Ex	C F 광장/사회/특정 공포증 Asso 공황/강박/범불안 순환/호흡/내분비/ 신경/정신	약물력 진정제, 마약 과거력 외상력 사회력 가족력 여성력
P/E 눈, 갑상샘, 맥박/심음/호흡음, 손떨림 (복부) 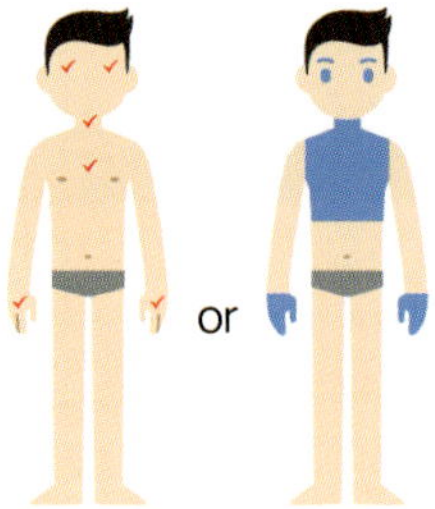		환자교육 환자 안심 약 꾸준히 복용하기 카페인 음료 섭취 줄이기

M·E·M·O

Check-list

	병력청취 채점항목	예	아니오
1	불안이 언제 시작되는지, 빈도 및 지속시간에 대하여 물어보았다.	☐	☐
2	불안감이 나타나는 상황이나 요인이 있는지 물어보았다.	☐	☐
3	불안과 동반되는 증상에 대하여 물어보았다.	☐	☐
4	현재(최근) 스트레스나 환경의 변화가 있는지 물어보았다.	☐	☐
5	일상생활이나 신체적인 불편함이 있는지 물어보았다.	☐	☐
6	복용하고 있는 약물, 카페인 섭취량에 대하여 물어보았다.	☐	☐
7	환자의 정신과적, 내/외과적 병력에 대하여 물어보았다.	☐	☐

	신체진찰 채점항목	제대로 함	제대로 못함	하지 않음
1	환자의 정신상태(감정, 기분, 정동)를 확인하였다.	☐	☐	☐
2	안구돌출증이 있는지 확인하였다.	☐	☐	☐
3	맥박 및 호흡수를 확인하였다.	☐	☐	☐
4	경부 검사(갑상샘)을 제대로 시행하였다.	☐	☐	☐
5	복부 종괴가 있는지 확인하였다.	☐	☐	☐

	환자교육 채점항목	예	아니오
1	의심되는 질환에 대하여 설명하였다.	☐	☐
2	질환의 경과와 예후에 대하여 설명하였다.	☐	☐
3	앞으로에 치료계획에 대하여 설명하였다.	☐	☐
4	치료시 주의사항에 대하여 설명하였다.	☐	☐

	환자의사관계 채점항목	아주우수	우수	보통	미흡
1	효율적으로 잘 물어보았다. - 효율적 질문 : 개방형 질문 사용, 확인, 중간 요약 - 피할 질문 : 유도 질문, 복수 질문	☐	☐	☐	☐
2	나의 말을 잘 들어주었다. - 대꾸하기, 경청 자세, 눈 맞춤 & 말 가로채지 않기	☐	☐	☐	☐
3	나의 입장을 이해하려고 노력하였다. - 공감 표현, 나의 입장 파악	☐	☐	☐	☐
4	환자가 이해하기 쉽게 설명하였다. - 간단명료함, 이해도 점검, 질문 기회 & 쉬운 용어	☐	☐	☐	☐
5	나와 좋은 유대 관계를 형성하려고 했다. - 자기소개, 일상 대화, 존중, 자신감 & 신뢰감	☐	☐	☐	☐

42 수면장애

L O S T Co Ex	C 입면/유지/낮잠 수면 위생 F 교대근무/해외여행 Asso 수면무호흡/하지불안 증후군/REM 수면 장애 내분비/정신/폐경 기타(순환, 호흡, 소화)	약물력 수면제 과거력 외상력 사회력 직업/커피, 녹차 가족력 여성력 폐경
P/E BMI, 눈/구강, 갑상샘, 심음/호흡음, 하지 부종 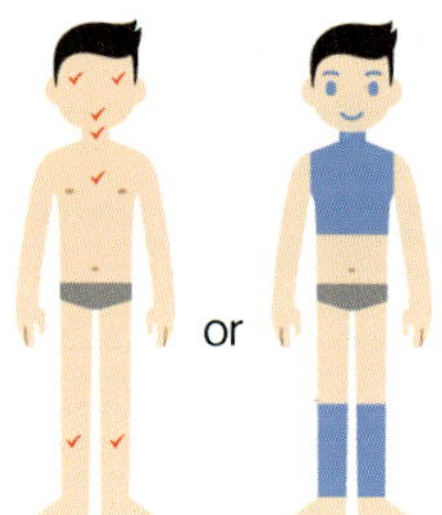 BMI 확인		환자교육 수면 위생 교육 커피 섭취 자제하기 의존성 낮은 수면제 쓰기

M·E·M·O

Check-list

	병력청취 채점항목	예	아니오
1	불면증의 발생시기에 대하여 물어보았다.	☐	☐
2	수면시간, 불면의 양상을 파악하였다.	☐	☐
3	평소 수면습관, 수면위생을 잘 지키는지 물어보았다.	☐	☐
4	불면을 유발할 만한 원인(직업/환경변화/스트레스/소음 등)에 대하여 물어보았다.	☐	☐
5	동반증상(코골이/무호흡증, 불안/우울, 하지불안 등)에 대하여 물어보았다.	☐	☐
6	정신과 질환을 포함한 과거 질환력을 확인하였다.	☐	☐
7	복용중인 약물이 있는지 확인하였다.	☐	☐

	신체진찰 채점항목	제대로 함	제대로 못함	하지 않음
1	구강 진찰을 하여 편도, 아데노이드를 확인하였다.	☐	☐	☐
2	갑상샘을 시/촉진하였다.	☐	☐	☐
3	신경학적 검사를 시행하였다.	☐	☐	☐

	환자교육 채점항목	예	아니오
1	정상 수면과 불면을 유발할 수 있는 요인에 대하여 설명하였다.	☐	☐
2	수면다원 검사가 필요할 수 있음을 설명하였다.	☐	☐
3	수면위생에 대하여 교육하였다.	☐	☐
4	불면증 치료의 중요성과 수면제 사용에 대하여 설명하였다.	☐	☐

	환자의사관계 채점항목	아주우수	우수	보통	미흡
1	효율적으로 잘 물어보았다. – 효율적 질문 : 개방형 질문 사용, 확인, 중간 요약 – 피할 질문 : 유도 질문, 복수 질문	☐	☐	☐	☐
2	나의 말을 잘 들어주었다. – 대꾸하기, 경청 자세, 눈 맞춤 & 말 가로채지 않기	☐	☐	☐	☐
3	나의 입장을 이해하려고 노력하였다. – 공감 표현, 나의 입장 파악	☐	☐	☐	☐
4	환자가 이해하기 쉽게 설명하였다. – 간단명료함, 이해도 점검, 질문 기회 & 쉬운 용어	☐	☐	☐	☐
5	나와 좋은 유대 관계를 형성하려고 했다. – 자기소개, 일상 대화, 존중, 자신감 & 신뢰감	☐	☐	☐	☐

09 CHAPTER

43 기억력 저하

L O S 계기 T 계단식 악화 Co Ex C 최근 기억 길/언어/계산/가스불 F Asso 혈관성/루이소체/이마관자엽 정상압 수두증/가성치매/갑상샘	약물력 스테로이드, 항콜린제 과거력 외상력 머리 외상 사회력 학력/음주력 가족력 여성력
P/E 간이 MMSE, 눈(안구운동, 안면마비), 갑상샘, 사지 근력/DTR, 보행검사 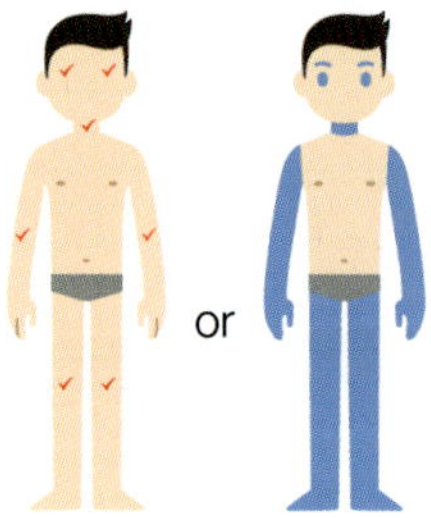 간이 MMSE	환자교육 심혈관 위험 인자 개선 가족 간 환자 부담 고통 분담 사회복지사 방문 서비스 안내 치매 지원 센터 안내 우울증 있으면 치료하기

M·E·M·O

Check-list

	병력청취 채점항목	예	아니오
1	언제부터 시작되었는지 물어보았다.	☐	☐
2	기억력 저하의 양상에 대하여 물어보았다(일상생활에서 얼마나 영향을 주는지, 기억력이 떨어지는 특정 분야가 있는지).	☐	☐
3	배뇨장애, 성격변화 등의 동반증상이 있는지 물어보았다.	☐	☐
4	학력, 음주/흡연력에 대하여 물어보았다.	☐	☐
5	현재 앓고 있는 질환에 대하여 물어보았다(정신과, 신경과 포함).	☐	☐
6	두부 외상력과 수술력에 대하여 물어보았다.	☐	☐
7	복용중인 약물에 대하여 물어보았다.	☐	☐

	신체진찰 채점항목	제대로 함	제대로 못함	하지 않음
1	MMSE를 수행하였다.	☐	☐	☐
2	갑상샘 진찰을 수행하였다.	☐	☐	☐
3	흉부 진찰을 시행하였다.	☐	☐	☐
4	운동 검사를 시행하였다(보행, 반사, 감각/근력).	☐	☐	☐
5	신경학적 검사를 시행하였다.	☐	☐	☐

	환자교육 채점항목	예	아니오
1	기억력 저하의 원인에 대하여 설명하였다.	☐	☐
2	질환 감별을 위해 필요한 검사에 대해 설명하였다.	☐	☐
3	기억력 저하의 정도에 따른 관리 원칙에 대해 설명하였다.	☐	☐
4	금연/금주 및 기저질환(고혈압/당뇨) 관리의 필요성에 대해 설명하였다.	☐	☐

	환자의사관계 채점항목	아주우수	우수	보통	미흡
1	효율적으로 잘 물어보았다. – 효율적 질문 : 개방형 질문 사용, 확인, 중간 요약 – 피할 질문 : 유도 질문, 복수 질문	☐	☐	☐	☐
2	나의 말을 잘 들어주었다. – 대꾸하기, 경청 자세, 눈 맞춤 & 말 가로채지 않기	☐	☐	☐	☐
3	나의 입장을 이해하려고 노력하였다. – 공감 표현, 나의 입장 파악	☐	☐	☐	☐
4	환자가 이해하기 쉽게 설명하였다. – 간단명료함, 이해도 점검, 질문 기회 & 쉬운 용어	☐	☐	☐	☐
5	나와 좋은 유대 관계를 형성하려고 했다. – 자기소개, 일상 대화, 존중, 자신감 & 신뢰감	☐	☐	☐	☐

44 자 살

L O S T Co Ex 과거 자살 시도력	C 자살 계획/시도 F 스트레스 가족, 친구 관계 Asso 병전 성격 우울증 기준 9개 조증/환시, 환청	약물력 과거력 만성 질환/정신과 질환 외상력 사회력 가족력 가족 중 정신과 치료/자살 시도 여성력
P/E (시행해야 하는 경우) 팔, 다리의 자해 여부 시진 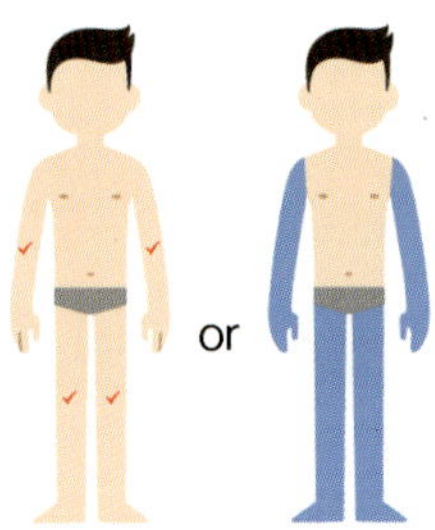		환자교육 입원 치료 환자를 혼자 두지 말기 자해, 자살 도구 치우기 가족의 지지가 중요

M·E·M·O

Check-list

	병력청취 채점항목	예	아니오
1	자살 사고/실행의 발생시기와 상황에 대해 물어보았다. 어떤 양상으로 나타났는지 물어보았다.	☐	☐
2	자살 사고/계획/시도에 대하여 자세하게 물어보았다.	☐	☐
3	평소 기분변화가 있는지 물어보았다.	☐	☐
4	기분변화가 있는지, 있다면 심한 정도와 일상생활에 끼치는 영향을 물어보았다.	☐	☐
5	기분변화의 계기나 스트레스가 될 만한 사건에 대하여 물어보았다.	☐	☐
6	예전에도 자살하고 싶었던 적이나 자살을 시도했던 적이 있는지 물어보았다.	☐	☐
7	동반되어 나타나는 증상에 대하여 물어보았다(삶의 의욕저하, 사고/집중력 저하, 수면장애, 식욕변화, 체중변화, 자살사고, 추위 불내성/변비, 환청/환시/환각, 불안 등).	☐	☐
8	과거 앓았던 질환에 대하여 물어보았다(기저질환, 조증/경조증 삽화, 물질 오남용 여부).	☐	☐
9	현재 복용 중인 약물에 대하여 물어보았다.	☐	☐
10	정신과적 질환의 가족력을 물어보았다.	☐	☐

	환자교육 채점항목	예	아니오
1	기분변화를 일으킬 수 있는 원인에 대하여 설명하였다.	☐	☐
2	치료계획과 치료의 중요성에 대하여 강조하였다.	☐	☐
3	입원 치료의 적응증을 설명하고 입원을 권유하였다.	☐	☐

	환자의사관계 채점항목	아주우수	우수	보통	미흡
1	효율적으로 잘 물어보았다. - 효율적 질문 : 개방형 질문 사용, 확인, 중간 요약 - 피할 질문 : 유도 질문, 복수 질문	☐	☐	☐	☐
2	나의 말을 잘 들어주었다. - 대꾸하기, 경청 자세, 눈 맞춤 & 말 가로채지 않기	☐	☐	☐	☐
3	나의 입장을 이해하려고 노력하였다. - 공감 표현, 나의 입장 파악	☐	☐	☐	☐
4	환자가 이해하기 쉽게 설명하였다. - 간단명료함, 이해도 점검, 질문 기회 & 쉬운 용어	☐	☐	☐	☐
5	나와 좋은 유대 관계를 형성하려고 했다. - 자기소개, 일상 대화, 존중, 자신감 & 신뢰감	☐	☐	☐	☐

CLINICAL PERFORMANCE EXAMINATION

10

CHAPTER

상 담

45-1 금연 상담

Ask 흡연량 금연? Assess 니코틴 의존성 금단증상 Advise	5R Risk Reward Relevance Roadblock Repetition	Asso 약물력 과거력 외상력 사회력 가족력 여성력
P/E 눈/입, 흉부 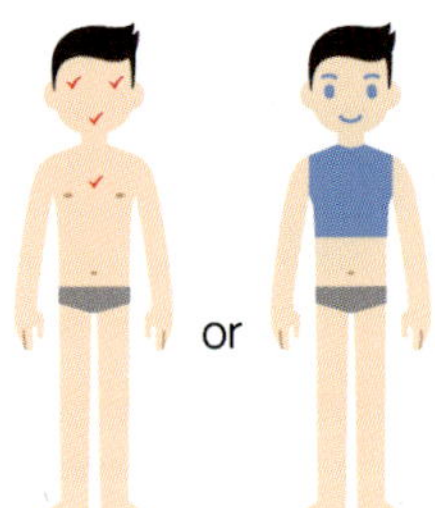 		환자교육 Assist 금연시작일, 전략 Arrange

M·E·M·O

Check-list

	병력청취 채점항목	예	아니오
1	흡연력을 파악하였다.	☐	☐
2	니코틴 의존도를 파악하였다(Fagerstrom).	☐	☐
3	금단증상이 있는지 물어보았다.	☐	☐
4	금연의지와 동기/계획이 있는지 물어보았다.	☐	☐
5	과거 금연시도와 실패이유를 물어보았다.	☐	☐
6	주변에 금연을 방해하는 요소/사람이 있는지 물어보았다.	☐	☐
7	동반증상이 있는지 물어보았다.	☐	☐
8	가족력을 확인하였다(폐암, 만성 폐쇄성 폐질환 등).	☐	☐

	환자교육 채점항목	예	아니오
1	흡연이 건강에 미치는 영향을 설명하였다.	☐	☐
2	금연 후 생길 수 있는 금단증상에 대하여 설명하였다.	☐	☐
3	금연을 위한 약물치료 및 정신치료를 설명하였다.	☐	☐
4	금연을 위한 행동요법을 설명하였다.	☐	☐
5	치료에 대한 동기를 부여하고 격려하였다.	☐	☐
6	필요한 검사를 설명하고 동의를 구하였다.	☐	☐
7	금연 시작일을 정하고 다음 내원일을 정하였다.	☐	☐

	환자의사관계 채점항목	아주우수	우수	보통	미흡
1	효율적으로 잘 물어보았다. - 효율적 질문 : 개방형 질문 사용, 확인, 중간 요약 - 피할 질문 : 유도 질문, 복수 질문	☐	☐	☐	☐
2	나의 말을 잘 들어주었다. - 대꾸하기, 경청 자세, 눈 맞춤 & 말 가로채지 않기	☐	☐	☐	☐
3	나의 입장을 이해하려고 노력하였다. - 공감 표현, 나의 입장 파악	☐	☐	☐	☐
4	환자가 이해하기 쉽게 설명하였다. - 간단명료함, 이해도 점검, 질문 기회 & 쉬운 용어	☐	☐	☐	☐
5	나와 좋은 유대 관계를 형성하려고 했다. - 자기소개, 일상 대회, 존중, 자신감 & 신뢰감	☐	☐	☐	☐

45-2 음주 상담

Ask 주종? 누구와? 상황? 금주? Assess 의존성(CAGE) 내성/금단/남용 Advise 5R Risk Reward Relevance Roadblock Repetition	Asso 소화기, 간, 우울증 약물력 과거력 외상력 사회력 가족력 여성력
P/E 눈/입, 복부, 사지 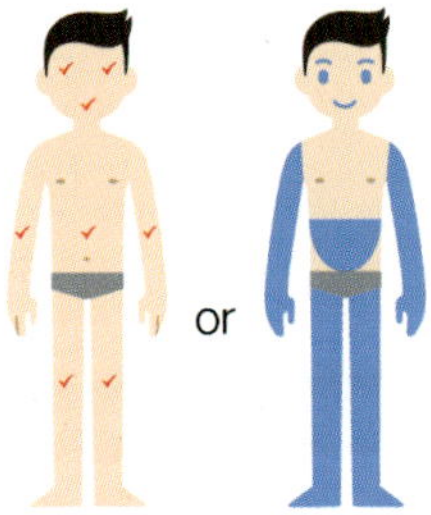 	환자교육 Assist 금주시작일, 전략 Arrange 검) LFT, 간초음파

M·E·M·O

Check-list

	병력청취 채점항목	예	아니오
1	환자의 음주습관에 대하여 구체적으로 물어보았다(음주량, 빈도, 의존/금단 증상).	☐	☐
2	음주 시기와 과음 시기, 계기가 있었는지 물어보았다.	☐	☐
3	스트레스나 기타 문제가 있는지 물어보았다.	☐	☐
4	동반증상이 있는지 물어보았다(정신과적 증상 포함).	☐	☐
5	일상생활에 지장이 있는지 물어보았다(직업, 가족/친구, 법적문제).	☐	☐
6	앓고 있는 질환이 있는지 물어보았다.	☐	☐
7	가족력에 대하여 물어보았다.	☐	☐

	신체진찰 채점항목	제대로 함	제대로 못함	하지 않음
1	환자의 의식/정신상태를 확인하였다.	☐	☐	☐
2	공막 황달과 입냄새 등을 확인하였다.	☐	☐	☐
3	복부 진찰을 시행하였다.	☐	☐	☐
4	필요한 신경학적 검사를 시행하였다(안구진탕, 퍼덕떨림).	☐	☐	☐

	환자교육 채점항목	예	아니오
1	음주문제에 대한 의학적/정신사회적 위험성에 대해 설명하였다.	☐	☐
2	현재 상태와 문제점에 대하여 설명하였다.	☐	☐
3	필요한 검사에 대하여 설명하고 동의를 구하였다.	☐	☐
4	알코올 사용 장애의 치료원칙과 약물치료, 대처 등을 교육하였다.	☐	☐

	환자의사관계 채점항목	아주우수	우수	보통	미흡
1	효율적으로 잘 물어보았다. - 효율적 질문 : 개방형 질문 사용, 확인, 중간 요약 - 피할 질문 : 유도 질문, 복수 질문	☐	☐	☐	☐
2	나의 말을 잘 들어주었다. - 대꾸하기, 경청 자세, 눈 맞춤 & 말 가로채지 않기	☐	☐	☐	☐
3	나의 입장을 이해하려고 노력하였다. - 공감 표현, 나의 입장 파악	☐	☐	☐	☐
4	환자가 이해하기 쉽게 설명하였다. - 간단명료함, 이해도 점검, 질문 기회 & 쉬운 용어	☐	☐	☐	☐
5	나와 좋은 유대 관계를 형성하려고 했다. - 자기소개, 일상 대화, 존중, 자신감 & 신뢰감	☐	☐	☐	☐

46 물질 오남용

Ask 어떤/얼만큼/어떻게 Assess 효과 내성/금단/남용 Advise	5R Risk Reward Relevance Roadblock Repetition	Asso 약물력 과거력 외상력 사회력 가족력 여성력
P/E 눈/입, 흉부, 복부 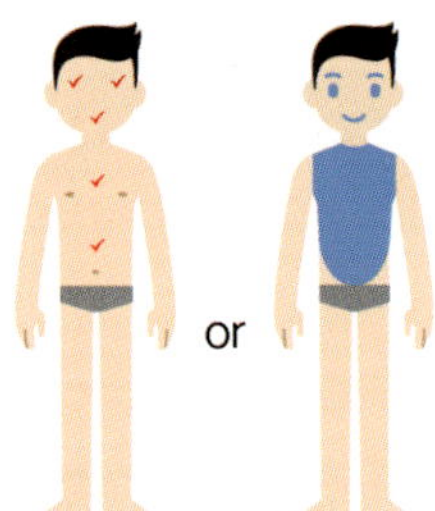		환자교육 Assist Arrange 검) 간, 신장 응급

M·E·M·O

Check-list

	병력청취 채점항목	예	아니오
1	어떤 약을 얼마만큼의 용량으로 얼마동안 복용하였는지 물어보았다.	☐	☐
2	약물을 복용하는 이유와 계기에 대해서 물어보았다.	☐	☐
3	약물 복용에 따른 동반 증상이 있는지 물어보았다.	☐	☐
4	약물을 복용하지 않았을 때 나타나는 증상이 있는지 물어보았다.	☐	☐
5	약물에 대한 내성, 의존도, 금단을 확인하였다.	☐	☐
6	약물 복용으로 인해 일상생활에 지장이 있는지 물어보았다.	☐	☐
7	약물중단을 권하고 도움을 주겠다고 설득하였다.	☐	☐

	신체진찰 채점항목	제대로 함	제대로 못함	하지 않음
1	환자의 활력징후를 확인하였다.	☐	☐	☐
2	의식 수준과 정신 상태를 확인하였다.	☐	☐	☐
3	동공의 축동/산동 여부를 확인하였다.	☐	☐	☐
4	흉부 진찰을 시행하였다.	☐	☐	☐
5	자살시도나 자해의 흔적이 있는지 확인하였다.	☐	☐	☐

	환자교육 채점항목	예	아니오
1	약물 오남용에 의한 부작용과 위험성에 대하여 설명하였다.	☐	☐
2	질환이나 합병증 확인을 위해 필요한 검사를 설명하고 동의를 구하였다.	☐	☐
3	길항제와 금단증상에 대한 치료방법 등에 대하여 설명하였다.	☐	☐

	환자의사관계 채점항목	아주우수	우수	보통	미흡
1	효율적으로 잘 물어보았다. - 효율적 질문 : 개방형 질문 사용, 확인, 중간 요약 - 피할 질문 : 유도 질문, 복수 질문	☐	☐	☐	☐
2	나의 말을 잘 들어주었다. - 대꾸하기, 경청 자세, 눈 맞춤 & 말 가로채지 않기	☐	☐	☐	☐
3	나의 입장을 이해하려고 노력하였다. - 공감 표현, 나의 입장 파악	☐	☐	☐	☐
4	환자가 이해하기 쉽게 설명하였다. - 간단명료함, 이해도 점검, 질문 기회 & 쉬운 용어	☐	☐	☐	☐
5	나와 좋은 유대 관계를 형성하려고 했다. - 자기소개, 일상 대화, 존중, 자신감 & 신뢰감	☐	☐	☐	☐

47-1 가정폭력

상처 공감 의심 비밀보장	[폭력] O S T C 도구, 언어/성폭력 F 음주 범위 가해자	대처 피할 곳, 도와줄 사람 Asso 우울, 자살/타살 약물력 과거력 외상력 사회력 가족력 여성력
P/E x (미시행)	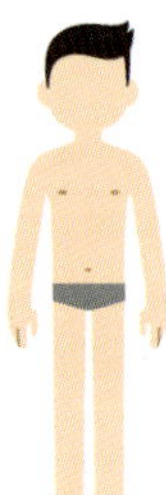 or 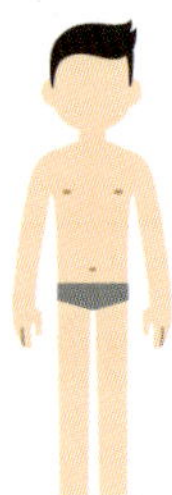	환자교육 비상휴대폰, 비상금 1336 이웃, 단축번호

M·E·M·O

Check-list

	병력청취 채점항목	예	아니오
1	외상의 발생시기와 상황, 늦게 왔다면 그 이유를 확인하였다.	☐	☐
2	외상소견과 진술이 일치하는지 확인하였다.	☐	☐
3	일치하지 않는 경우 환자의 안전과 비밀을 보장하고 폭력에 의한 것인지 확인하였다.	☐	☐
4	피해 양상에 대하여 자세히 물어보았다.	☐	☐
5	가해자의 질병력과 약물력에 대하여 물어보았다.	☐	☐
6	동반증상이 있는지 물어보았다(우울, 불안, 자살사고 등의 정신과적 증상 포함).	☐	☐
7	폭력 발생시 피난처나 도움을 청할 곳이 있는지 물어보았다.	☐	☐

	신체진찰 채점항목	제대로 함	제대로 못함	하지 않음
1	전반적인 영양/위생상태를 확인하였다.	☐	☐	☐
2	외상부위를 진찰하였다.	☐	☐	☐
3	주소 외 다른 부위의 외상이 있는지 확인하였다.	☐	☐	☐
4	성적 학대가 의심되는 경우 회음부/항문 주위를 진찰하였다.	☐	☐	☐

	환자교육 채점항목	예	아니오
1	학대/폭력을 인식시키고 도움이 필요함을 설명하였다.	☐	☐
2	필요한 경우 병원 또는 경찰의 도움을 받을 수 있음을 설명하였다.	☐	☐
3	폭력 발생 시 사실을 알릴 사람 또는 피신할 곳을 교육하였다.	☐	☐
4	가해자를 신고 또는 치료를 받도록 교육하였다.	☐	☐

	환자의사관계 채점항목	아주우수	우수	보통	미흡
1	효율적으로 잘 물어보았다. - 효율적 질문 : 개방형 질문 사용, 확인, 중간 요약 - 피할 질문 : 유도 질문, 복수 질문	☐	☐	☐	☐
2	나의 말을 잘 들어주었다. - 대꾸하기, 경청 자세, 눈 맞춤 & 말 가로채지 않기	☐	☐	☐	☐
3	나의 입장을 이해하려고 노력하였다. - 공감 표현, 나의 입장 파악	☐	☐	☐	☐
4	환자가 이해하기 쉽게 설명하였다. - 간단명료함, 이해도 점검, 질문 기회 & 쉬운 용어	☐	☐	☐	☐
5	나와 좋은 유대 관계를 형성하려고 했다. - 자기소개, 일상 대화, 존중, 자신감 & 신뢰감	☐	☐	☐	☐

47-2 성폭력

비밀보장, 보호자 면담 – P/E – 검체채취	[폭력] O S 인상착의, 인원수, 목격자, 지인? T C 어디 성적 접촉? 사정? 콘돔? 범위 가해자	Asso 자살/타살 약물력 과거력 파상풍 예방주사 외상력 사회력 가족력 여성력 월경, 피임, 최근성관계
P/E 눈/입, 전신, 질분비물 검사(모형) 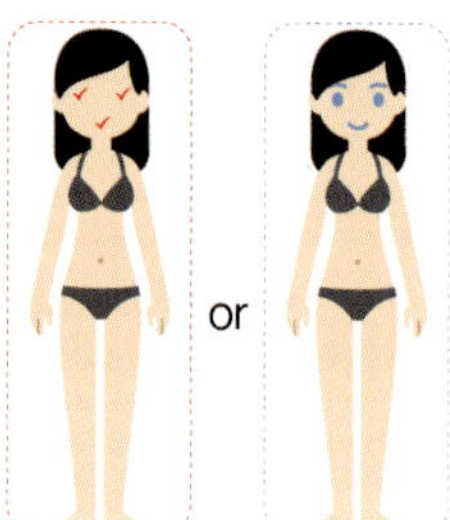 		환자교육 임신예방 성병예방 에이즈 해바라기센터

M·E·M·O

Check-list

	병력청취 채점항목	예	아니오
1	진료동의를 구하였다.	☐	☐
2	발생시기와 상황, 목격자가 있는지 물어보았다.	☐	☐
3	피해 양상에 대하여 물어보았다.	☐	☐
4	사건 후 어떤 조치를 취하였는지 물어보았다.	☐	☐
5	동반증상이 있는지 물어보았다.	☐	☐
6	복용중인 약물이 있는지 물어보았다.	☐	☐
7	월경력과 임신가능성에 대하여 물어보았다.	☐	☐

	신체진찰 채점항목	제대로 함	제대로 못함	하지 않음
1	신체진찰 동의를 구하였다.	☐	☐	☐
2	외상부위를 확인하였다.	☐	☐	☐
3	구강 진찰을 시행하였다.	☐	☐	☐
4	골반 진찰을 시행하였다.	☐	☐	☐
5	항문 진찰을 시행하였다.			
6	검체 채취의 필요성을 설명하고 동의를 구하였다.	☐	☐	☐

	환자교육 채점항목	예	아니오
1	필요한 검사 및 치료계획에 대하여 설명하였다.	☐	☐
2	응급피임법에 대하여 설명하고 교육하였다.	☐	☐
3	성병, 매독 등에 대한 예방조치가 필요함을 설명하였다.	☐	☐
4	외래 추적과 검진에 대하여 설명하였다.	☐	☐

	환자의사관계 채점항목	아주우수	우수	보통	미흡
1	효율적으로 잘 물어보았다. - 효율적 질문 : 개방형 질문 사용, 확인, 중간 요약 - 피할 질문 : 유도 질문, 복수 질문	☐	☐	☐	☐
2	나의 말을 잘 들어주었다. - 대꾸하기, 경청 자세, 눈 맞춤 & 말 가로채지 않기	☐	☐	☐	☐
3	나의 입장을 이해하려고 노력하였다. - 공감 표현, 나의 입장 파악	☐	☐	☐	☐
4	환자가 이해하기 쉽게 설명하였다. - 간단명료함, 이해도 점검, 질문 기회 & 쉬운 용어	☐	☐	☐	☐
5	나와 좋은 유대 관계를 형성하려고 했다. - 자기소개, 일상 대화, 존중, 자신감 & 신뢰감	☐	☐	☐	☐

48 나쁜 소식 전하기

S 동반자 P 병식 I 얼마나? 혼자서?	K 설명 E 걱정? S 치료 계획
P/E	환자교육 이해도 위로/격려

M·E·M·O

Check-list

	병력청취 채점항목	예	아니오
1	Setting : 환자의 기분과 안부를 물어보고, 마음의 준비를 시켰다.	☐	☐
2	Perception : 환자의 인식 정도를 파악하였다.	☐	☐
3	Invitation : 얼마나 자세히 알고 싶은지, 혼자서 또는 보호자와 함께 듣고 싶어하는지 등을 파악하였다.	☐	☐
4	Knowledge : 검사 결과 및 진단명을 환자가 이해하기 쉬운 말로 정확하게 전달하였다.	☐	☐
5	Knowledge : 나쁜 소식을 전하게 되어 유감을 표현하였다.	☐	☐
6	Emotion : 환자가 받아들일 때까지 충분한 시간을 가지고 위로와 유감을 전하였다.	☐	☐
7	Emotion : 환자가 내용을 정확히 이해하였는지 확인하였다.	☐	☐
8	Strategy : 향후 치료계획에 대하여 설명하였다.	☐	☐
9	Strategy : 치료 방법과 계획에 대하여 논의하였다.	☐	☐
10	궁금한 점이나 다른 걱정거리가 있는지 물어보았다.	☐	☐

	환자의사관계 채점항목	아주우수	우수	보통	미흡
1	효율적으로 잘 물어보았다. – 효율적 질문 : 개방형 질문 사용, 확인, 중간 요약 – 피할 질문 : 유도 질문, 복수 질문	☐	☐	☐	☐
2	나의 말을 잘 들어주었다. – 대꾸하기, 경청 자세, 눈 맞춤 & 말 가로채지 않기	☐	☐	☐	☐
3	나의 입장을 이해하려고 노력하였다. – 공감 표현, 나의 입장 파악	☐	☐	☐	☐
4	환자가 이해하기 쉽게 설명하였다. – 간단명료함, 이해노 섬검, 질문 기회 & 쉬운 용어	☐	☐	☐	☐
5	나와 좋은 유대 관계를 형성하려고 했다. – 자기소개, 일상 대화, 존중, 자신감 & 신뢰감	☐	☐	☐	☐

III

VOLUME

CLINICAL PERFORMANCE EXAMINATION

PACIFIC CPX

부록

발 행 2021년 7월 15일

발행인 최 명 희

편저자 퍼시픽 학술국

발행처 **퍼시픽북**

서울시 중구 충무로 29 아시아미디어타워 503호

TEL. 02-2272-7766(代) / FAX. 02-2272-7166

E-mail : papu77@hanmail.net

ISBN 979 - 11 - 5814 - 353 - 4

set ISBN 979 11 5814 - 354 - 1

정가 16,000원